수학 전문가가 만든 연산 교재

원리셈

2학년 ④

• 곱셈 •

지은이의 말

수학은 원리로부터

수학은 구체물의 관계를 숫자와 기호의 약속으로 나타내는 추상적인 학문입니다. 이 점이 아이들이 수학을 어려워하는 가장 큰 이유입니다. 이러한 수학은 제대로 된 이해를 동반할 때 비로소 힘을 발휘할 수 있습니다. 수학은 어느 단계에서나 원리가 가장 중요합니다.

수학 교육의 변화

답을 내는 방법만 알아도 되는 수학 교육의 시대는 지나고 있습니다. 연산도 한 가지 방법만 반복 연습하기 보다 다양한 풀이 방법이 중요합니다. 교과서는 왜 그렇게 해야 하는지 가르쳐 주고 다양한 방법을 생각하도록 하지만, 학생들은 단순하게 반복되는 연습에 원리는 잊어버리고 기계적으로 답을 내다보니 응용된 내용의 이해가 부족합니다.

연산 학습은 꾸준히

유초등 학습 단계에 따라 4권~6권의 구성으로 매일 10분씩 꾸준히 공부할 수 있습니다. 원리와 다양한 방법의 학습은 그림과 함께 재미있게, 연습은 다양하게 진행하되 마무리는 집중하여 진행하도록 했습니다. 부담 없는 하루 학습량으로 꾸준히 공부하다 보면 어느새 연산 실력이 부쩍 늘어난 것을 알 수 있습니다.

개정판 원리샘은

동영상 강의 확대/초등 고학년 원리 학습 과정 강화 등으로 교과 과정을 완벽하게 대비할 수 있도록 원리와 개념, 계산 방법을 학습합니다. 단계별 원리 학습은 물론이고 연습도 강화했습니다.

학부모님들의 연산 학습에 대한 고민이 원리샘으로 해결되었으면 하는 바람입니다.

지은이 *천종현*

원리셈의 특징

☑ 원리셈의 학습 구성

한 권의 책은 매일 10분 / 매주 5일 / 6주 학습

☑ 원리셈의 시나브로 강해지는 학습 알고리즘

초등 원리셈은

01 원리 이해 ▶ **02** 다양한 계산 방법 ▶ **03** 충분한 연습 ▶ **04** 성취도 확인

시작은 원리의 이해로부터, 마무리는 충분한 연습과 성취도 확인까지

☑ 체계적인 학습 구성

쉽게 이해하고 스스로 공부!
실수가 많은 부분은 별도로 확인하고 연습!
주제에 따라 실전을 위한 확장적 사고가 필요한 내용까지!
원리로 시작되는 단계별 학습으로 곱셈구구마저 저절로 외워진다고 느끼도록!

원리셈 전체 단계

 키즈 원리셈

 초등 원리셈

초등 원리셈의 단계별 학습 목표

원리와 연습을 모두 잡는 원리셈!!

학년별 학습 목표와 다른 책에서는 만나기 힘든 특별한 내용을 확인해 보세요.

⊙ 1학년 원리셈

모든 연산 과정 중 실수가 가장 많은 덧셈, 뺄셈의 집중 연습
여러 가지 계산 방법 알기
덧셈, 뺄셈의 관계를 이용한 '□ 구하기'의 이해

⊙ 2학년 원리셈

두 자리 덧셈, 뺄셈의 여러 가지 계산 방법의 숙지와 이해
곱셈 개념을 폭넓게 이해하고, 곱셈구구를 힘들지 않게 외울 수 있는 구성
나눗셈은 3학년 교과의 내용이지만 곱셈구구를 외우는 것을 도우면서 곱셈구구의 범위에서 개념 위주 학습

⊙ 3학년 원리셈

기본 연산은 정확한 이해와 충분한 연습
곱셈, 나눗셈의 관계를 이용한 '□ 구하기'의 이해
분수는 학생들이 어려워 하는 부분을 중점적으로 이해하고, 연습하도록 구성

⊙ 4학년 원리셈

작은 수의 곱셈, 나눗셈 방법을 확장하여 이해하는 큰 수의 곱셈, 나눗셈
교과서에는 나오지 않는 실전적 연산을 포함
많이 틀리는 내용은 별도 집중학습

⊙ 5학년 원리셈

연산은 개념과 유형에 따라 단계적으로 학습 후 충분한 연습
약수와 배수는 기본기를 단단하게 할 수 있는 체계적인 구성

⊙ 6학년 원리셈

분수와 소수의 나눗셈은 원리를 단순화하여 이해
비의 개념을 확장하여 문장제 문제 등에서 만나는 비례 관계의 이해와 적용
비와 비례식은 중등 수학을 대비하는 의미도 포함. 강추 교재!!

2학년 구성과 특징

1권~3권에서 두 자리 수 덧셈과 뺄셈, 4권~6권에서는 곱셈과 나눗셈의 개념을 공부합니다. 덧셈과 뺄셈은 원리를 이용한 여러 가지 가로셈의 계산과 속도를 위한 세로셈의 계산을 다양한 형태로 적절히 배분하였습니다. 나눗셈은 3학년 내용이지만 6권에서 나눗셈의 개념을 활용하여 곱셈구구의 연습이 되도록 구성했습니다.

원리

수 모형, 동전 등을 이용하여 원리를 직관적으로 이해하고 쉽게 공부할 수 있도록 하였습니다.

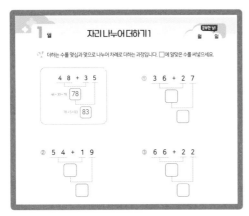 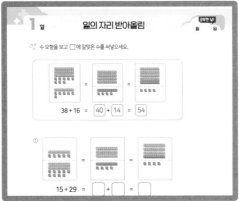

다양한 계산 방법

다양한 계산 방법을 공부함으로써 수를 다루는 감각을 키우고, 상황에 따라 더 정확하고 빠른 계산을 할 수 있도록 하였습니다.

 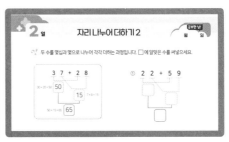

연습

학습 순서를 원리를 생각하며 연습할 수 있도록 배치하였고, 이해를 도울 수 있는 소재 및 그림과 함께 연습한 후, 숫자와 기호로 된 문제도 꾸준히 반복할 수 있도록 하였습니다

도전! 계산왕

주제가 구분되는 두 개의 단원은 정확성과 빠른 계산을 위한 집중 연습으로 주제를 마무리 합니다.

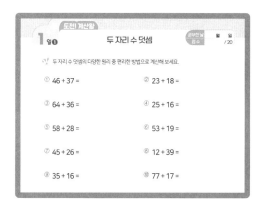

성취도 평가

개념의 이해와 연산의 수행에 부족한 부분은 없는지 성취도 평가를 통해 확인합니다.

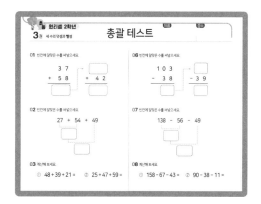

원리샘 100% 활용하기

☑ 책의 사이사이에 학생의 학습을 돕기 위한 저자의 내용을 잘 이용하세요.

📖 단원의 학습 내용과 방향

한 주차가 시작되는 쪽의 아래에 그 단원의 학습 내용과 어떤 방향으로 공부하는지를 설명해 놓았습니다.
학부모님이나 학생이 단원을 시작하기 전에 가볍게 읽어 보고 공부하도록 해 주세요.

📚 이해를 돕는 저자의 동영상 강의

처음 접하는 원리/개념과 연산 방법의 이해를 돕기 위한 동영상 강의가 있으니 이해가 어려운 내용은 QR코드를
이용하여 편리하게 동영상 강의를 보고, 공부하도록 하세요.

🔘 학습 Tip   간략한 도움글은 각 쪽의 아래에 있습니다.

✏️ 천종현수학연구소 네이버 카페와 홈페이지를 활용하세요.

카페와 홈페이지에는 추가 문제 자료가 있고, 연산 외에서 수학 학습에 어려움을 상담 받을 수 있습니다.

네이버에서 천종현수학연구소를 검색하세요.

1 주차
몇의 몇 배

곱셈의 개념을 공부하기에 앞서 예비 학습의 성격을 지닙니다. 뛰어 세기와 묶어 세기를 해 보면서 같은 수를 여러 개 더하는 경우를 살펴보고 이것이 몇 배의 개념이라는 것을 배웁니다.

뛰어 세기

2부터 2씩 뛰어센 수에 색칠해 보세요.

1	2	3	4	5	6	7	8	9	10
11	12	13	14	15	16	17	18	19	20

3부터 3씩 뛰어센 수에 색칠해 보세요.

1	2	3	4	5	6	7	8	9	10
11	12	13	14	15	16	17	18	19	20
21	22	23	24	25	26	27	28	29	30

4부터 4씩 뛰어센 수에 색칠해 보세요.

1	2	3	4	5	6	7	8	9	10
11	12	13	14	15	16	17	18	19	20
21	22	23	24	25	26	27	28	29	30
31	32	33	34	35	36	37	38	39	40

5부터 5씩 뛰어센 수에 색칠해 보세요.

1	2	3	4	5	6	7	8	9	10
11	12	13	14	15	16	17	18	19	20
21	22	23	24	25	26	27	28	29	30
31	32	33	34	35	36	37	38	39	40
41	42	43	44	45	46	47	48	49	50

6부터 6씩 뛰어센 수에 색칠해 보세요.

1	2	3	4	5	6	7	8	9	10
11	12	13	14	15	16	17	18	19	20
21	22	23	24	25	26	27	28	29	30
31	32	33	34	35	36	37	38	39	40
41	42	43	44	45	46	47	48	49	50
51	52	53	54	55	56	57	58	59	60

7부터 7씩 뛰어센 수에 색칠해 보세요.

1	2	3	4	5	6	7	8	9	10
11	12	13	14	15	16	17	18	19	20
21	22	23	24	25	26	27	28	29	30
31	32	33	34	35	36	37	38	39	40
41	42	43	44	45	46	47	48	49	50
51	52	53	54	55	56	57	58	59	60
61	62	63	64	65	66	67	68	69	70

8부터 8씩 뛰어센 수에 색칠해 보세요.

1	2	3	4	5	6	7	8	9	10
11	12	13	14	15	16	17	18	19	20
21	22	23	24	25	26	27	28	29	30
31	32	33	34	35	36	37	38	39	40
41	42	43	44	45	46	47	48	49	50
51	52	53	54	55	56	57	58	59	60
61	62	63	64	65	66	67	68	69	70
71	72	73	74	75	76	77	78	79	80

9부터 9씩 뛰어센 수에 색칠해 보세요.

1	2	3	4	5	6	7	8	9	10
11	12	13	14	15	16	17	18	19	20
21	22	23	24	25	26	27	28	29	30
31	32	33	34	35	36	37	38	39	40
41	42	43	44	45	46	47	48	49	50
51	52	53	54	55	56	57	58	59	60
61	62	63	64	65	66	67	68	69	70
71	72	73	74	75	76	77	78	79	80
81	82	83	84	85	86	87	88	89	90

몇씩 몇 묶음

모두 몇 개인지 두 가지 방법으로 묶어 세어 보세요.

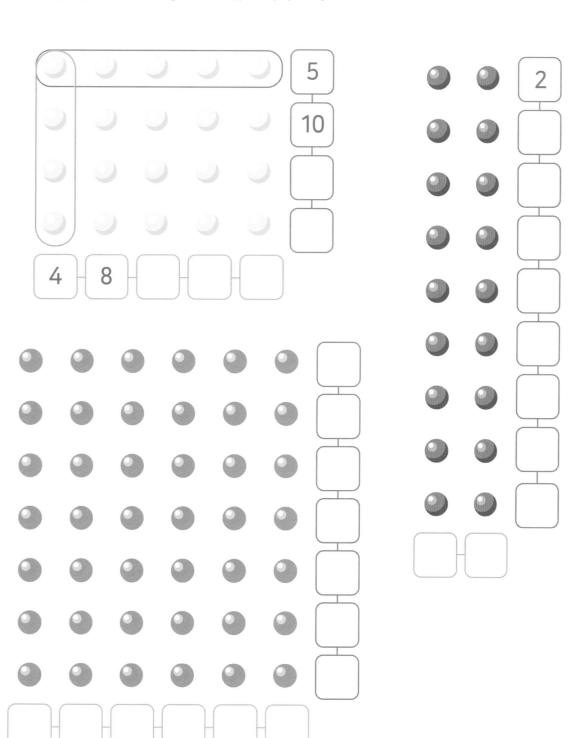

| 5 |
| 10 |
| |
| |

| 4 | 8 | | | |

| 2 |
| |
| |
| |
| |
| |
| |
| |
| |

몇씩 몇 묶음인지 두 가지 방법으로 □를 채우고 모두 몇 개인지 쓰세요.

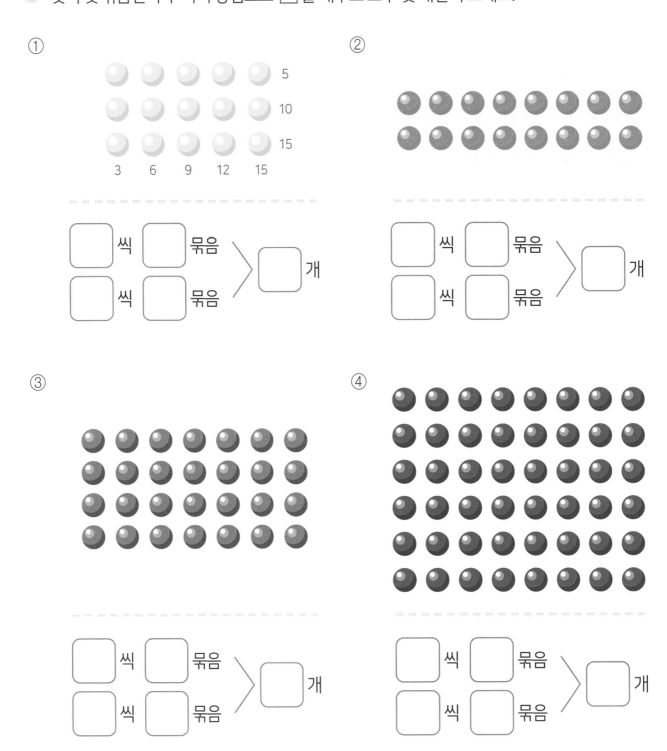

①

```
        5
        10
        15
3  6  9  12  15
```

□씩 □묶음 ⟩ □개
□씩 □묶음

②

□씩 □묶음 ⟩ □개
□씩 □묶음

③

□씩 □묶음 ⟩ □개
□씩 □묶음

④

□씩 □묶음 ⟩ □개
□씩 □묶음

몇씩 몇 묶음인지를 보고, □에 알맞은 수를 써넣으세요.

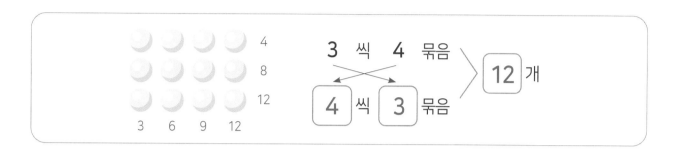

① **5** 씩 **4** 묶음 〉 □ 개
　□ 씩 □ 묶음

② **6** 씩 **5** 묶음 〉 □ 개
　□ 씩 □ 묶음

③ **4** 씩 **9** 묶음 〉 □ 개
　□ 씩 □ 묶음

④ **2** 씩 **7** 묶음 〉 □ 개
　□ 씩 □ 묶음

⑤ **8** 씩 **3** 묶음 〉 □ 개
　□ 씩 □ 묶음

⑥ **6** 씩 **4** 묶음 〉 □ 개
　□ 씩 □ 묶음

⑦ **3** 씩 **6** 묶음 〉 □ 개
　□ 씩 □ 묶음

⑧ **9** 씩 **5** 묶음 〉 □ 개
　□ 씩 □ 묶음

몇의 몇 배

몇 배를 알아보고, ☐에 알맞은 수를 써넣으세요.

- 초록색 풍선은 파란색 풍선의 5배입니다.
- 2씩 5묶음은 2의 5배입니다.
- 2의 5배는 2 + 2 + 2 + 2 + 2 = 10입니다.

① 빨간색 풍선은 노란색 풍선의 ☐ 배입니다.

② 연두색 사탕은 보라색 사탕의 ☐ 배입니다.

③ 보라색 풍선은 주황색 풍선의 ☐ 배입니다.

④ 빨간색 사탕은 분홍색 사탕의 ☐ 배입니다.

⑤ 노란색 풍선은 파란색 풍선의 ☐ 배입니다.

몇 배를 알아보고, ☐ 에 알맞은 수를 써넣으세요.

① **3**의 ☐ 배   ☐ + ☐ + ☐ + ☐ = ☐

② **4**의 ☐ 배   ☐ + ☐ + ☐ + ☐ + ☐ + ☐ = ☐

③ **2**의 ☐ 배   ☐ + ☐ + ☐ + ☐ + ☐ +
☐ + ☐ + ☐ + ☐ = ☐

④ **5**의 ☐ 배   ☐ + ☐ + ☐ + ☐ + ☐ = ☐

⑤ **6**의 ☐ 배   ☐ + ☐ + ☐ + ☐ = ☐

그림을 보고 ☐에 알맞은 수를 써넣으세요.

① ☐ 의 ☐ 배 ☐

② ☐ 의 ☐ 배 ☐

③ ☐ 의 ☐ 배 ☐

④ ☐ 의 ☐ 배 ☐

⑤ ☐ 의 ☐ 배 ☐

⑥ ☐ 의 ☐ 배 ☐

몇 배와 뛰어 세기

수직선을 보고 ☐에 알맞은 수를 써넣으세요.

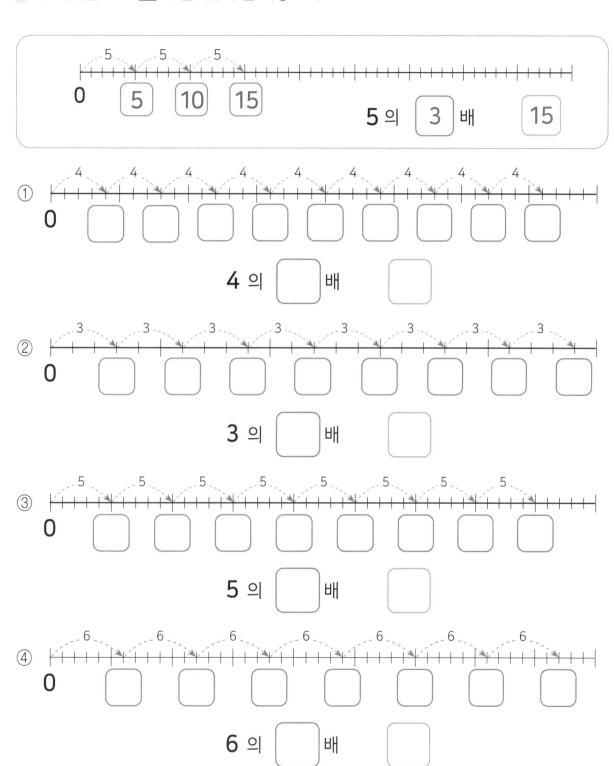

5 의 3 배 15

① 4 의 ☐ 배 ☐

② 3 의 ☐ 배 ☐

③ 5 의 ☐ 배 ☐

④ 6 의 ☐ 배 ☐

수직선을 보고 ☐에 알맞은 수를 써넣으세요.

①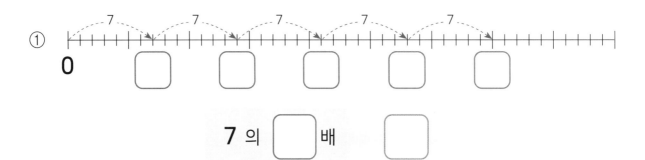

7 의 ☐ 배   ☐

②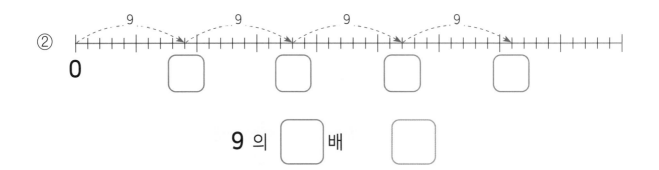

9 의 ☐ 배   ☐

③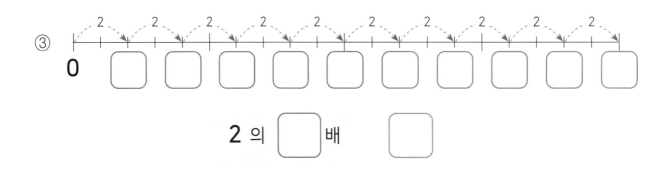

2 의 ☐ 배   ☐

④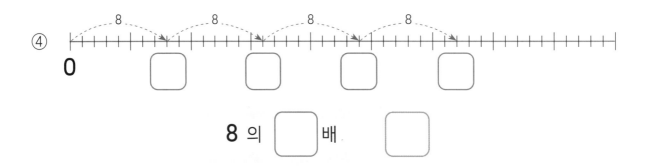

8 의 ☐ 배   ☐

몇의 몇 배를 뛰어 세어서 구해 보세요.

① **7**의 **5**배

⬜—⬜—⬜—⬜—⬜

② **9**의 **5**배

⬜—⬜—⬜—⬜—⬜

③ **4**의 **5**배

⬜—⬜—⬜—⬜—⬜

④ **8**의 **3**배

⬜—⬜—⬜

⑤ **6**의 **9**배

⬜—⬜—⬜—⬜—⬜—⬜—⬜—⬜—⬜

⑥ **2**의 **8**배

⬜—⬜—⬜—⬜—⬜—⬜—⬜—⬜

⑦ **7**의 **9**배

⬜—⬜—⬜—⬜—⬜—⬜—⬜—⬜—⬜

5 일

어떤 수는 몇의 몇 배

그림을 보고 ☐에 알맞은 수를 써넣으세요.

①
2
8

8은 2의 ☐ 배

②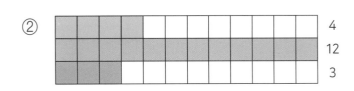
4
12
3

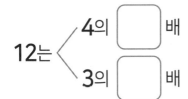
12는
4의 ☐ 배
3의 ☐ 배

③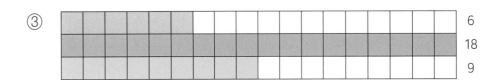
6
18
9

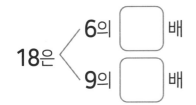
18은
6의 ☐ 배
9의 ☐ 배

④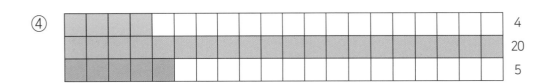
4
20
5

20은
4의 ☐ 배
5의 ☐ 배

주머니에 사과가 똑같이 들어 있습니다. 사과의 개수를 보고 한 주머니에 들어 있는 사과의 개수를 ◯에 써넣으세요.

①
24 개　◯ 개

②
56 개　◯ 개

③
27 개　◯ 개

④
40 개　◯ 개

⑤
32 개　◯ 개

⑥
16 개　◯ 개

⑦
42 개　◯ 개

서로 관계있는 것을 선으로 이어 보세요.

7의 8배 •　　•　36　•　•　3의 8배

8의 9배 •　　•　24　•　•　4의 9배

6의 6배 •　　•　56　•　•　6의 3배

9의 2배 •　　•　16　•　•　8의 7배

4의 6배 •　　•　72　•　•　4의 4배

2의 8배 •　　•　18　•　•　9의 8배

• **2**주차 •

곱셈의 이해

1, 2일차는 곱셈의 개념이 몇의 몇 배와 같다는 것을 알고, 1주차에서 공부한 뛰어 세기, 묶어 세기로 곱셈의 값을 구하도록 합니다. 3, 4, 5일차는 곱셈의 개념을 이용하여 곱셈식을 두 개의 곱셈식으로 가르기하거나, 곱셈과 덧셈으로 식을 변형하는 것을 공부합니다.

곱셈식

곱셈식을 알아보고, 사탕의 개수를 곱셈식으로 나타내어 보세요.

> 🔹 3의 4배는 3×4라고 씁니다.
> 🔹 3의 4배는 $3 + 3 + 3 + 3 = 12$입니다.
> 🔹 이것을 $3 \times 4 = 12$라고 씁니다.

①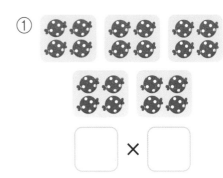
☐ × ☐

②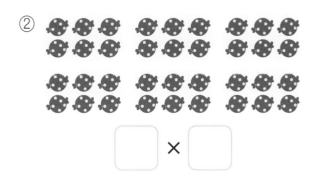
☐ × ☐

③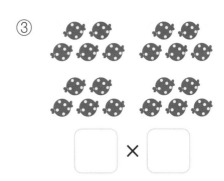
☐ × ☐

④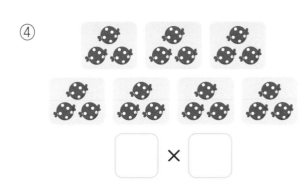
☐ × ☐

⑤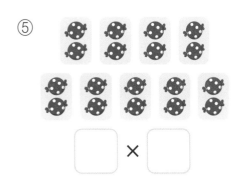
☐ × ☐

⑥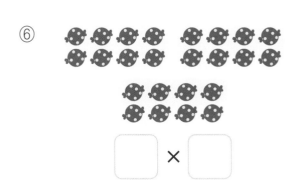
☐ × ☐

덧셈식을 곱셈식으로 바꾸어 나타낸 것입니다. □에 알맞은 수를 써넣으세요.

①

$8 + 8 + 8 = 24$

□ × □ = □

②

$7 + 7 + 7 + 7 + 7 = 35$

□ × □ = □

③

$9 + 9 = 18$

□ × □ = □

④

$3 + 3 + 3 + 3 + 3 = 15$

□ × □ = □

⑤

$2 + 2 + 2 = 6$

□ × □ = □

⑥

$5 + 5 + 5 + 5 = 20$

□ × □ = □

⑦

$6 + 6 + 6 + 6 + 6 + 6 + 6 + 6 = 48$

□ × □ = □

⑧

$4 + 4 + 4 + 4 + 4 + 4 + 4 + 4 + 4 = 36$

□ × □ = □

곱셈식을 덧셈식으로 바꾸어 나타낸 것입니다. □에 알맞은 수를 써넣으세요.

① $5 \times 3 = \boxed{}$

$\boxed{} + \boxed{} + \boxed{} = \boxed{}$

② $9 \times 3 = \boxed{}$

$\boxed{} + \boxed{} + \boxed{} = \boxed{}$

③ $6 \times 2 = \boxed{}$

$\boxed{} + \boxed{} = \boxed{}$

④ $7 \times 2 = \boxed{}$

$\boxed{} + \boxed{} = \boxed{}$

⑤ $8 \times 8 = \boxed{}$

$\boxed{} + \boxed{} + \boxed{} + \boxed{} + \boxed{} + \boxed{} + \boxed{} + \boxed{} = \boxed{}$

⑥ $2 \times 9 = \boxed{}$

$\boxed{} + \boxed{} + \boxed{} + \boxed{} + \boxed{} + \boxed{} + \boxed{} + \boxed{} + \boxed{} = \boxed{}$

⑦ $4 \times 7 = \boxed{}$

$\boxed{} + \boxed{} + \boxed{} + \boxed{} + \boxed{} + \boxed{} + \boxed{} = \boxed{}$

관계있는 식을 선으로 이어 보세요.

3+3+3+3
+3+3+3 •

• 5×6 •

• 20

5+5+5
+5+5+5 •

• 4×5 •

• 21

2+2+2+2+2
+2+2+2+2 •

• 3×7 •

• 18

4+4+4+4+4 •

• 7×5 •

• 32

8+8+8+8 •

• 2×9 •

• 30

7+7+7+7+7 •

• 8×4 •

• 35

바꾸어 곱하기

🎵 그림을 보고 ☐ 에 알맞은 수를 써넣으세요.

3 × 6 = 18
6 × 3 = 18

①
× = ☐
× = ☐

②
× = ☐
× = ☐

③
× = ☐
× = ☐

④
× = ☐
× = ☐

⑤
× = ☐
× = ☐

순서를 바꾸어 곱셈을 계산해 보세요.

①
$$4 \times 5 = \boxed{20}$$
$$\times = \boxed{}$$

②
$$9 \times 4 = \boxed{36}$$
$$\times = \boxed{}$$

③
$$5 \times 8 = \boxed{40}$$
$$\times = \boxed{}$$

④
$$8 \times 3 = \boxed{24}$$
$$\times = \boxed{}$$

⑤
$$6 \times 7 = \boxed{42}$$
$$\times = \boxed{}$$

□에 알맞은 수를 써넣으세요.

① 3 × 9
9 × 3 = □

② 7 × 3
3 × 7 = □

③ 2 × 8
8 × 2 = □

④ 5 × 9
9 × 5 = □

⑤ 5 × 6
6 × 5 = □

⑥ 4 × 7
7 × 4 = □

⑦ 2 × 7
7 × 2 = □

⑧ 3 × 6
6 × 3 = □

Tip
같은 곱셈 중에서 계산하기 편한 것으로 선택하여 답을 구하도록 합니다.

2개의 곱셈으로 가르기

그림을 보고 ☐에 알맞은 수를 써넣으세요.

①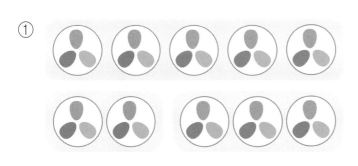
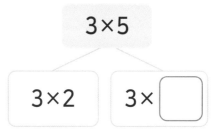

3×5
3×2   3×☐

②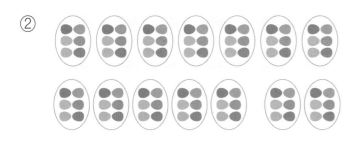

6×7
6×5   6×☐

③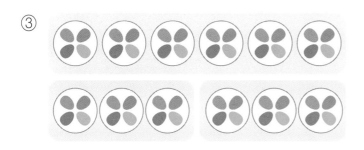
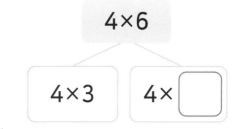

4×6
4×3   4×☐

④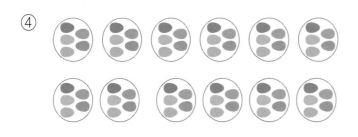
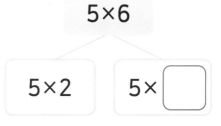

5×6
5×2   5×☐

Tip
3×5는 3이 5묶음 있다는 뜻이므로 3씩 2묶음과 3묶음으로 나누어 3×2와 3×3으로 가를 수 있습니다.

곱셈식을 두 개의 곱셈식으로 갈라서 나타내어 보세요.

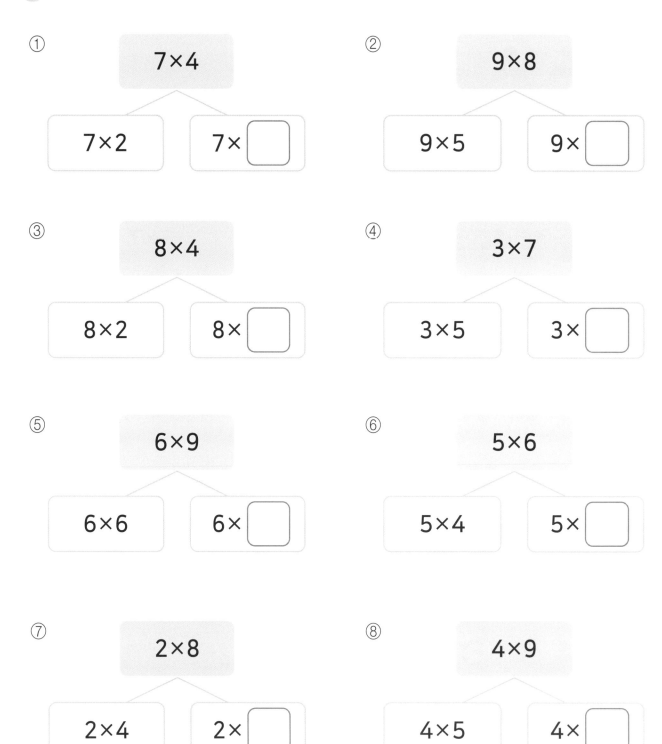

① 7×4

7×2   7×☐

② 9×8

9×5   9×☐

③ 8×4

8×2   8×☐

④ 3×7

3×5   3×☐

⑤ 6×9

6×6   6×☐

⑥ 5×6

5×4   5×☐

⑦ 2×8

2×4   2×☐

⑧ 4×9

4×5   4×☐

🔑 □에 알맞은 수를 써넣으세요.

①
$$4 \times 8 = \boxed{4 + 4 + 4 + 4 + 4} + \boxed{4 + 4 + 4}$$
$$4 \times 8 = (4 \times 5) + (4 \times \boxed{})$$

②
$$6 \times 6 = \boxed{6 + 6 + 6} + \boxed{6 + 6 + 6}$$
$$6 \times 6 = (6 \times 3) + (6 \times \boxed{})$$

③
$$8 \times 7 = \boxed{8 + 8 + 8 + 8} + \boxed{8 + 8 + 8}$$
$$8 \times 7 = (8 \times \boxed{}) + (8 \times \boxed{})$$

④
$$9 \times 5 = \boxed{9 + 9} + \boxed{9 + 9 + 9}$$
$$9 \times 5 = (9 \times \boxed{}) + (9 \times \boxed{})$$

⑤
$$7 \times 9 = \boxed{7 + 7 + 7 + 7} + \boxed{7 + 7 + 7 + 7 + 7}$$
$$7 \times 9 = (7 \times \boxed{}) + (7 \times \boxed{})$$

T ip
덧셈과 곱셈이 함께 있는 식에서는 괄호가 없어도 곱셈을 먼저 계산하지만, 덧셈과 곱셈이 함께 있는 식을 처음 다루기 때문에 곱셈을 먼저 계산하는 것을 강조하기 위해서 괄호를 사용하였습니다.

곱셈과 덧셈으로 가르기

💡 그림을 보고 ☐에 알맞은 수를 써넣으세요.

①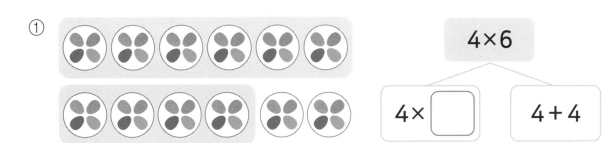

4×6

$4 \times \boxed{}$ $4 + 4$

②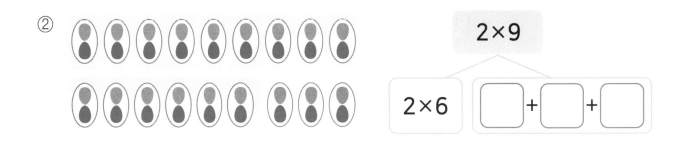

2×9

2×6 $\boxed{} + \boxed{} + \boxed{}$

③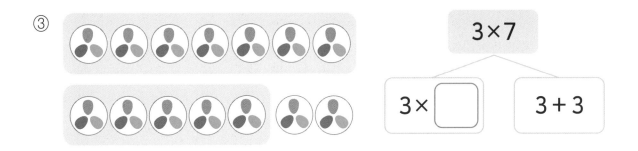

3×7

$3 \times \boxed{}$ $3 + 3$

④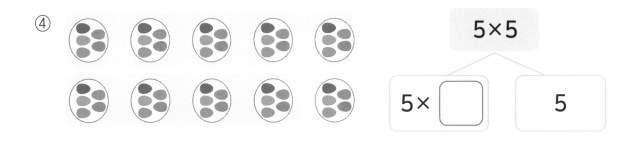

5×5

$5 \times \boxed{}$ 5

Tip
4×6은 4가 6묶음 있다는 뜻이므로 4씩 4묶음과 2묶음으로 나누어 4×4와 4×2로 가를 수 있습니다.

곱셈식을 곱셈식과 덧셈식으로 갈라서 나타내어 보세요.

① 3×8

3× □   3 + 3 + 3

② 8×6

8×5   □

③ 4×7

4× □   4 + 4

④ 7×4

7×2   □ + □

⑤ 5×9

5× □   5

⑥ 6×4

6×3   □

⑦ 2×7

2× □   2 + 2

⑧ 9×7

9× □   □ + □ + □

□에 알맞은 수를 써넣으세요.

①
$2 \times 8 = \boxed{2 + 2 + 2 + 2 + 2 + 2} + 2 + 2$

$2 \times 8 = (2 \times 6) + \boxed{} + \boxed{}$

②
$7 \times 5 = \boxed{7 + 7 + 7 + 7} + 7$

$7 \times 5 = (7 \times \boxed{}) + 7$

③
$3 \times 7 = \boxed{3 + 3 + 3 + 3 + 3} + 3 + 3$

$3 \times 7 = (3 \times 5) + \boxed{} + \boxed{}$

④
$4 \times 8 = \boxed{4 + 4 + 4 + 4 + 4 + 4} + 4 + 4$

$4 \times 8 = (4 \times \boxed{}) + 4 + 4$

⑤
$8 \times 6 = \boxed{8 + 8 + 8 + 8 + 8} + 8$

$8 \times 6 = (8 \times 5) + \boxed{}$

연산 퍼즐

□에 알맞은 수에 ◯표 하세요.

① | 3   5   2   1 |

$5 \times 5 = (5 \times 2) + (5 \times \boxed{})$

② | 4   7   1   3 |

$3 \times 8 = (3 \times 4) + (3 \times \boxed{})$

③ | 2   4   5   6 |

$4 \times 9 = (4 \times 4) + (4 \times \boxed{})$

④ | 2   1   4   3 |

$2 \times 5 = (2 \times 2) + (2 \times \boxed{})$

⑤ | 2   1   4   5 |

$7 \times 9 = (7 \times 4) + (7 \times \boxed{})$

⑥ | 6   3   4   2 |

$6 \times 7 = (6 \times 3) + (6 \times \boxed{})$

 □에 알맞은 수에 ◯표 하세요.

①

| 2 | 6 | 4 | 3 |

$7 \times 7 = (7 \times 3) + (7 \times \boxed{})$

②

| 3 | 1 | 2 | 4 |

$9 \times 6 = (9 \times 2) + (9 \times \boxed{})$

③

| 1 | 4 | 3 | 2 |

$8 \times 4 = (8 \times 2) + (8 \times \boxed{})$

④

| 1 | 3 | 2 | 4 |

$6 \times 8 = (6 \times 5) + (6 \times \boxed{})$

⑤

| 2 | 4 | 3 | 1 |

$5 \times 7 = (5 \times 5) + (5 \times \boxed{})$

⑥

| 3 | 4 | 1 | 2 |

$4 \times 6 = (4 \times 2) + (4 \times \boxed{})$

□에 알맞은 수에 ○표 하세요.

①   2   4   3   1 $2 \times 5 = (2 \times \boxed{}) + 2$

②   5   4   2   3 $7 \times 8 = (7 \times \boxed{}) + 7 + 7 + 7$

③   5   3   4   6 $3 \times 9 = (3 \times \boxed{}) + 3 + 3 + 3$

④   4   5   3   2 $8 \times 6 = (8 \times \boxed{}) + 8$

⑤   6   7   3   5 $2 \times 9 = (2 \times \boxed{}) + 2 + 2$

⑥   1   4   3   2 $9 \times 4 = (9 \times \boxed{}) + 9$

□에 들어갈 수가 같은 것끼리 선으로 연결해 보세요.

$2 \times 6 = (2 \times 1) + (2 \times \boxed{})$ •

• $5 \times 7 = (5 \times \boxed{}) + 5 + 5$

$8 \times 4 = (8 \times \boxed{}) + (8 \times 1)$ •

• $6 \times 4 = (6 \times 3) + \boxed{}$

$4 \times 6 = (4 \times \boxed{}) + (4 \times 2)$ •

• $9 \times 5 = (9 \times \boxed{}) + 9$

$7 \times 8 = (7 \times 2) + (7 \times \boxed{})$ •

• $4 \times 3 = (4 \times \boxed{}) + 4$

$3 \times 9 = (3 \times \boxed{}) + (3 \times 7)$ •

• $3 \times 5 = (3 \times \boxed{}) + 3 + 3$

· **3**주차 ·
같은 수의 덧셈을 이용한 곱셈

곱셈구구를 외우기 전에 곱셈의 개념을 이용하여 같은 수끼리 묶어서 곱셈을 계산하는 것을 공부합니다. 곱셈구구를 외우면 답을 구하는 것은 해결이 되지만, 이와 같은 내용은 곱셈에 대한 이해를 돕고, 수를 다루는 데 있어 유연성을 길러 줍니다.

같은 수의 덧셈을 이용한 곱셈

🎵 덧셈식을 둘씩 모으기하여 곱셈식의 값을 구하세요.

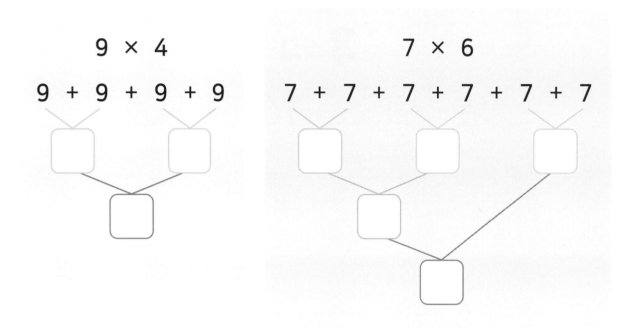

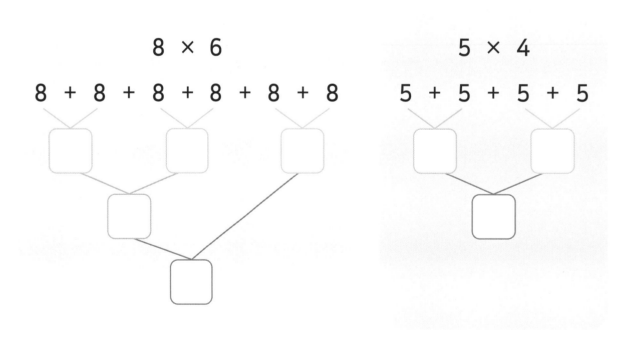

곱셈식을 덧셈식으로 바꾸어 둘씩 더해서 계산해 보세요.

6×4
$= (\boxed{6} + \boxed{6}) + (\boxed{6} + \boxed{6})$
$= \boxed{12} + \boxed{12}$
$= \boxed{24}$

① 7×4
$= (\boxed{} + \boxed{}) + (\boxed{} + \boxed{})$
$= \boxed{} + \boxed{}$
$= \boxed{}$

② 8×4
$= (\boxed{} + \boxed{}) + (\boxed{} + \boxed{})$
$= \boxed{} + \boxed{}$
$= \boxed{}$

③ 4×4
$= (\boxed{} + \boxed{}) + (\boxed{} + \boxed{})$
$= \boxed{} + \boxed{}$
$= \boxed{}$

④ 3×4
$= (\boxed{} + \boxed{}) + (\boxed{} + \boxed{})$
$= \boxed{} + \boxed{}$
$= \boxed{}$

⑤ 9×4
$= (\boxed{} + \boxed{}) + (\boxed{} + \boxed{})$
$= \boxed{} + \boxed{}$
$= \boxed{}$

곱셈식을 덧셈식으로 바꾸어 둘씩 더해서 계산해 보세요.

①   9 × 5

= (☐ + ☐) + (☐ + ☐) + 9

= ☐ + ☐ + 9

= ☐ + 9

= ☐

②   6 × 5

= (☐ + ☐) + (☐ + ☐) + 6

= ☐ + ☐ + 6

= ☐ + 6

= ☐

③   7 × 8

= (☐ + ☐) + (☐ + ☐) + (☐ + ☐) + (☐ + ☐)

= (☐ + ☐) + (☐ + ☐)

= ☐ + ☐

= ☐

바꾸어 계산하기

더하는 수의 개수가 적도록 덧셈식을 만들어 곱셈식을 계산하려고 합니다. ☐에 알맞은 수를 써넣으세요.

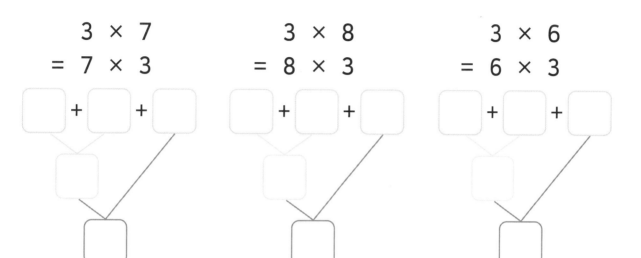

$$3 \times 7 = 7 \times 3$$

☐ + ☐ + ☐

$$3 \times 8 = 8 \times 3$$

☐ + ☐ + ☐

$$3 \times 6 = 6 \times 3$$

☐ + ☐ + ☐

$$6 \times 9 = 9 \times 6$$

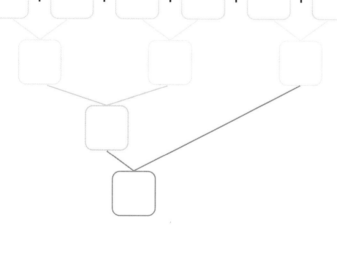

☐ + ☐ + ☐ + ☐ + ☐ + ☐

$$4 \times 6 = 6 \times 4$$

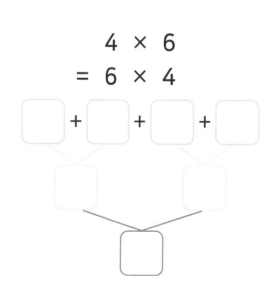

☐ + ☐ + ☐ + ☐

더하는 수의 개수가 적도록 덧셈식을 만들어 곱셈식을 계산하세요.

4×9
$= 9 \times 4$
$= (\boxed{} + \boxed{}) + (\boxed{} + \boxed{})$
$= (\boxed{} + \boxed{})$
$= \boxed{}$

3×9
$= 9 \times 3$
$= (\boxed{} + \boxed{}) + \boxed{}$
$= \boxed{} + \boxed{}$
$= \boxed{}$

6×8
$= 8 \times 6$
$= (\boxed{} + \boxed{}) + (\boxed{} + \boxed{}) + (\boxed{} + \boxed{})$
$= (\boxed{} + \boxed{}) + \boxed{}$
$= \boxed{} + \boxed{}$
$= \boxed{}$

더하는 수의 개수가 적도록 덧셈식을 만들어 곱셈식을 계산하세요.

8×9

$= 9 \times 8$

$= (\boxed{} + \boxed{}) + (\boxed{} + \boxed{}) + (\boxed{} + \boxed{}) + (\boxed{} + \boxed{})$

$= (\boxed{} + \boxed{}) + (\boxed{} + \boxed{})$

$= \boxed{} + \boxed{}$

$= \boxed{}$

6×7

$= 7 \times 6$

$= (\boxed{} + \boxed{}) + (\boxed{} + \boxed{}) + (\boxed{} + \boxed{})$

$= (\boxed{} + \boxed{}) + \boxed{}$

$= \boxed{} + \boxed{}$

$= \boxed{}$

곱셈 계산하기

곱셈을 계산해 보세요.

① $3 \times 4 =$ ② $6 \times 3 =$

③ $8 \times 8 =$ ④ $7 \times 5 =$

⑤ $5 \times 6 =$ ⑥ $9 \times 6 =$

⑦ $6 \times 4 =$ ⑧ $4 \times 8 =$

⑨ $2 \times 6 =$ ⑩ $3 \times 7 =$

⑪ $4 \times 9 =$ ⑫ $5 \times 8 =$

⑬ $9 \times 3 =$ ⑭ $8 \times 6 =$

⑮ $4 \times 7 =$ ⑯ $5 \times 6 =$

○에 알맞은 수를 써넣으세요.

①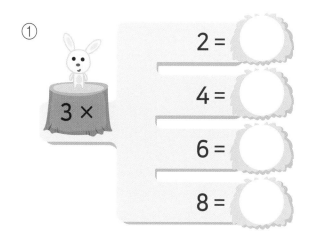

3 ×

2 = ○
4 = ○
6 = ○
8 = ○

②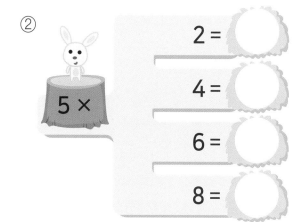

5 ×

2 = ○
4 = ○
6 = ○
8 = ○

③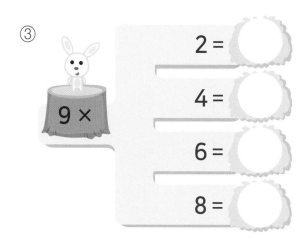

9 ×

2 = ○
4 = ○
6 = ○
8 = ○

④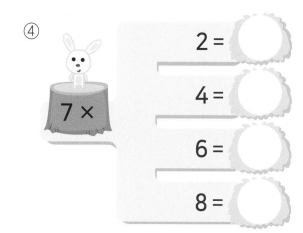

7 ×

2 = ○
4 = ○
6 = ○
8 = ○

⑤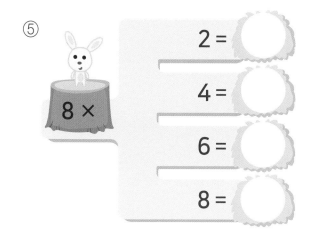

8 ×

2 = ○
4 = ○
6 = ○
8 = ○

⑥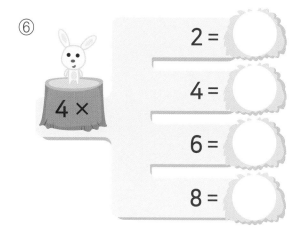

4 ×

2 = ○
4 = ○
6 = ○
8 = ○

곱셈의 활용

💡 나무 막대로 만든 도형을 보고 사용된 나무 막대가 몇 개인지 곱셈식으로 나타내어 보세요.

①

$\boxed{} \times \boxed{} = \boxed{}$

②

$\boxed{} \times \boxed{} = \boxed{}$

③

$\boxed{} \times \boxed{} = \boxed{}$

④

$\boxed{} \times \boxed{} = \boxed{}$

욕실 타일의 일부입니다. 색깔별로 타일이 사용된 개수가 몇 개인지 곱셈식으로 나타내어 보세요.

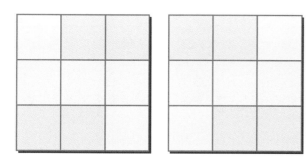

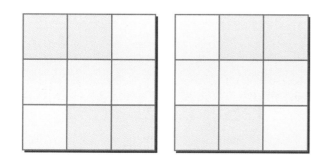

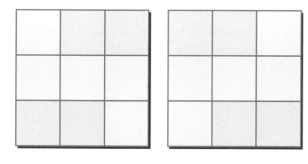

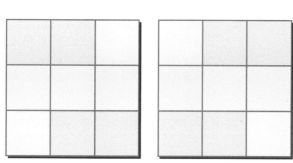

①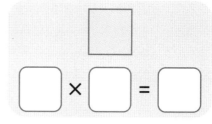

②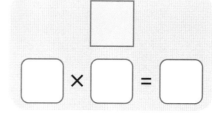

③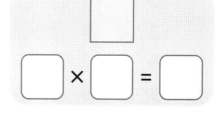

그림과 같이 두 수에 알맞게 ☐를 그리고, 곱셈식으로 나타내어 보세요.

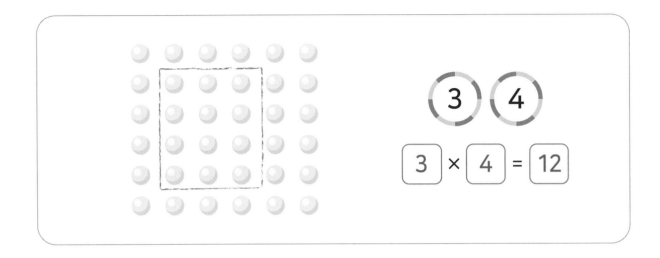

3 × 4 = 12

①

5   5

☐ × ☐ = ☐

②

2   6

☐ × ☐ = ☐

문장제

글과 그림을 보고 물음에 알맞은 식을 세우고 답을 구하세요.

지성이가 친구들에게 공책을 4권씩 선물하려고 합니다.

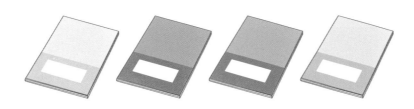

★ 8명의 친구에게 공책을 선물하려면 공책은 몇 권이 필요할까요?

식: 4 x 8 = 32   답: ___32___ 권

① 9명의 친구에게 공책을 선물하려면 공책은 몇 권이 필요할까요?

식: _____   답: _____ 권

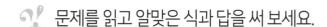 문제를 읽고 알맞은 식과 답을 써 보세요.

① 한 대에 5명이 탈 수 있는 자동차가 7대 있습니다. 빈 자리 없이 탄다면 몇 명까지 탈 수 있을까요?

식 : _____   답 : _____ 명

② 손님이 많이 오셔서 엄마가 귤을 한 접시에 5개씩 모두 4접시 내어 오셨습니다. 엄마가 내어 오신 귤은 모두 몇 개일까요?

식 : _____   답 : _____ 개

문제를 읽고 알맞은 식과 답을 써 보세요.

① 한 병에 5컵을 가득 따를 수 있는 음료수가 5병 있습니다. 한 사람이 한 컵씩 음료수를 마시면 모두 몇 명이 음료수를 마실 수 있을까요?

식 : _____   답 : _____ 명

② 형이 초콜릿이 8개씩 들어 있는 상자 3개를 사 왔습니다. 형이 사 온 초콜릿은 모두 몇 개일까요?

식 : _____   답 : _____ 개

③ 마당에 강아지 4마리가 뛰어놀고 있습니다. 강아지의 다리를 세면 모두 몇 개일까요?

식 : _____   답 : _____ 개

🔔 문제를 읽고 알맞은 식과 답을 써 보세요.

① 아시안 게임을 기념하는 우표를 8장씩 묶음으로 팔고 있습니다. 우표를 모으는 것이 취미인 지안이는 서로 다른 그림의 우표를 7묶음 사 왔습니다. 지안이가 사 온 우표는 모두 몇 장일까요?

식 : _____   답 : _____ 장

② 학교 식당에는 8명씩 앉을 수 있는 식탁이 9개 있습니다. 학교 식당에서 동시에 식사를 할 수 있는 학생은 몇 명일까요?

식 : _____   답 : _____ 명

③ 문어는 다리가 8개인 동물입니다. 엄마가 시장에서 문어를 3마리 사 오셨습니다. 엄마가 사 오신 문어의 다리를 세면 모두 몇 개일까요?

식 : _____   답 : _____ 개

4주차

도전! 계산왕

도전! 계산왕

1일 ❶

한 자리 곱셈

☐에 알맞은 수를 써넣고 계산해 보세요.

① $3 \times 6 = (3 \times 3) + \boxed{} + \boxed{} + \boxed{} =$

② $6 \times 5 = (6 \times 3) + (6 \times \boxed{}) =$

③ $5 \times 3 = (5 \times 2) + (5 \times \boxed{}) =$

④ $7 \times 4 = (7 \times 2) + (7 \times \boxed{}) =$

⑤ $8 \times 5 = (8 \times 4) + \boxed{} =$

⑥ $3 \times 8 = (3 \times \boxed{}) + 3 + 3 =$

⑦ $4 \times 9 = (4 \times 2) + (4 \times \boxed{}) =$

⑧ $2 \times 7 = (2 \times 4) + (2 \times \boxed{}) =$

⑨ $9 \times 9 = (9 \times \boxed{}) + 9 =$

⑩ $8 \times 3 = (8 \times 1) + \boxed{} + \boxed{} =$

⑪ $7 \times 2 = (7 \times 1) + (7 \times \boxed{}) =$

⑫ $4 \times 5 = (4 \times 3) + (4 \times \boxed{}) =$

1일 ❷

한 자리 곱셈

💡 □에 알맞은 수를 써넣고 계산해 보세요.

① $2 \times 5 = (2 \times \boxed{}) + \boxed{} + \boxed{} + \boxed{} =$

② $6 \times 2 = (6 \times 1) + (6 \times \boxed{}) =$

③ $7 \times 4 = (7 \times 2) + (7 \times \boxed{}) =$

④ $8 \times 7 = (8 \times 4) + (8 \times \boxed{}) =$

⑤ $9 \times 8 = (9 \times \boxed{}) + \boxed{} + \boxed{} =$

⑥ $4 \times 6 = (4 \times \boxed{}) + 4 + 4 =$

⑦ $5 \times 2 = (5 \times 1) + (5 \times \boxed{}) =$

⑧ $3 \times 4 = (3 \times 2) + (3 \times \boxed{}) =$

⑨ $6 \times 8 = (6 \times \boxed{}) + 6 =$

⑩ $7 \times 6 = (7 \times \boxed{}) + \boxed{} + \boxed{} + \boxed{} =$

⑪ $9 \times 9 = (9 \times 2) + (9 \times \boxed{}) =$

⑫ $2 \times 8 = (2 \times 6) + (2 \times \boxed{}) =$

한 자리 곱셈

💡 □에 알맞은 수를 써넣고 계산해 보세요.

① 4 × 6 = (4 × ☐) + ☐ + ☐ =

② 6 × 5 = (6 × 2) + (6 × ☐) =

③ 9 × 2 = (9 × 1) + (9 × ☐) =

④ 8 × 9 = (8 × 3) + (8 × ☐) =

⑤ 2 × 8 = (2 × ☐) + ☐ + ☐ =

⑥ 5 × 3 = (5 × ☐) + 5 + 5 =

⑦ 7 × 4 = (7 × 3) + (7 × ☐) =

⑧ 3 × 6 = (3 × 3) + (3 × ☐) =

⑨ 6 × 5 = (6 × ☐) + 6 =

⑩ 8 × 5 = (8 × ☐) + ☐ + ☐ + ☐ =

⑪ 9 × 8 = (9 × 6) + (9 × ☐) =

⑫ 3 × 9 = (3 × 2) + (3 × ☐) =

한 자리 곱셈

□에 알맞은 수를 써넣고 계산해 보세요.

① $8 \times 2 = (8 \times \boxed{}) + \boxed{} =$

② $4 \times 5 = (4 \times 1) + (4 \times \boxed{}) =$

③ $5 \times 6 = (5 \times 3) + (5 \times \boxed{}) =$

④ $7 \times 2 = (7 \times 1) + (7 \times \boxed{}) =$

⑤ $4 \times 7 = (4 \times \boxed{}) + \boxed{} + \boxed{} =$

⑥ $9 \times 9 = (9 \times \boxed{}) + 9 + 9 =$

⑦ $2 \times 4 = (2 \times 3) + (2 \times \boxed{}) =$

⑧ $3 \times 2 = (3 \times 1) + (3 \times \boxed{}) =$

⑨ $3 \times 6 = (3 \times \boxed{}) + 3 =$

⑩ $9 \times 5 = (9 \times \boxed{}) + \boxed{} + \boxed{} + \boxed{} =$

⑪ $7 \times 8 = (7 \times 4) + (7 \times \boxed{}) =$

⑫ $5 \times 7 = (5 \times 2) + (5 \times \boxed{}) =$

한 자리 곱셈

□에 알맞은 수를 써넣고 계산해 보세요.

① 2 × 3 = (2 × ☐) + ☐ + ☐ =

② 5 × 6 = (5 × 3) + (5 × ☐) =

③ 6 × 5 = (6 × 3) + (6 × ☐) =

④ 3 × 7 = (3 × 4) + (3 × ☐) =

⑤ 7 × 8 = (7 × ☐) + ☐ + ☐ =

⑥ 9 × 6 = (9 × ☐) + 9 + 9 =

⑦ 4 × 4 = (4 × 2) + (4 × ☐) =

⑧ 2 × 2 = (2 × 1) + (2 × ☐) =

⑨ 6 × 9 = (6 × ☐) + 6 =

⑩ 5 × 8 = (5 × ☐) + ☐ + ☐ + ☐ =

⑪ 8 × 7 = (8 × 4) + (8 × ☐) =

⑫ 7 × 4 = (7 × 2) + (7 × ☐) =

한 자리 곱셈

3일 ❷

□에 알맞은 수를 써넣고 계산해 보세요.

① 7 × 8 = (7 × ☐) + ☐ =

② 4 × 4 = (4 × 2) + (4 × ☐) =

③ 5 × 5 = (5 × 4) + (5 × ☐) =

④ 2 × 7 = (2 × 4) + (2 × ☐) =

⑤ 3 × 4 = (3 × ☐) + ☐ + ☐ =

⑥ 6 × 9 = (6 × ☐) + 6 + 6 =

⑦ 9 × 2 = (9 × 1) + (9 × ☐) =

⑧ 8 × 8 = (8 × 6) + (8 × ☐) =

⑨ 5 × 3 = (5 × ☐) + 5 =

⑩ 7 × 9 = (7 × ☐) + ☐ =

⑪ 9 × 7 = (9 × 3) + (9 × ☐) =

⑫ 8 × 5 = (8 × 2) + (8 × ☐) =

한 자리 곱셈

❓ ☐에 알맞은 수를 써넣고 계산해 보세요.

① 6 × 2 = (6 × ☐) + ☐ =

② 5 × 6 = (5 × 3) + (5 × ☐) =

③ 2 × 7 = (2 × 3) + (2 × ☐) =

④ 9 × 8 = (9 × 4) + (9 × ☐) =

⑤ 8 × 7 = (8 × ☐) + ☐ + ☐ + ☐ =

⑥ 3 × 7 = (3 × ☐) + 3 + 3 =

⑦ 4 × 3 = (4 × 2) + (4 × ☐) =

⑧ 6 × 9 = (6 × 2) + (6 × ☐) =

⑨ 5 × 8 = (5 × ☐) + 5 =

⑩ 2 × 9 = (2 × ☐) + ☐ + ☐ =

⑪ 8 × 2 = (8 × 1) + (8 × ☐) =

⑫ 9 × 4 = (9 × 2) + (9 × ☐) =

4일 ❷

한 자리 곱셈

❓ □에 알맞은 수를 써넣고 계산해 보세요.

① 6 × 8 = (6 × ☐) + ☐ + ☐ + ☐ =

② 7 × 4 = (7 × 2) + (7 × ☐) =

③ 5 × 5 = (5 × 1) + (5 × ☐) =

④ 7 × 7 = (7 × 4) + (7 × ☐) =

⑤ 8 × 4 = (8 × ☐) + ☐ + ☐ =

⑥ 2 × 9 = (2 × ☐) + 2 =

⑦ 4 × 2 = (4 × 1) + (4 × ☐) =

⑧ 3 × 6 = (3 × 3) + (3 × ☐) =

⑨ 9 × 7 = (9 × ☐) + 9 =

⑩ 2 × 5 = (2 × ☐) + ☐ + ☐ + ☐ =

⑪ 9 × 6 = (9 × 5) + (9 × ☐) =

⑫ 8 × 9 = (8 × 6) + (8 × ☐) =

5일 ❶

한 자리 곱셈

□에 알맞은 수를 써넣고 계산해 보세요.

① 9 × 2 = (9 × ☐) + ☐ =

② 6 × 5 = (6 × 2) + (6 × ☐) =

③ 8 × 6 = (8 × 2) + (8 × ☐) =

④ 2 × 3 = (2 × 2) + (2 × ☐) =

⑤ 3 × 7 = (3 × ☐) + ☐ + ☐ =

⑥ 5 × 9 = (5 × ☐) + 5 + 5 =

⑦ 7 × 4 = (7 × 2) + (7 × ☐) =

⑧ 4 × 2 = (4 × 1) + (4 × ☐) =

⑨ 8 × 8 = (8 × ☐) + 8 + 8 =

⑩ 7 × 6 = (7 × ☐) + ☐ + ☐ =

⑪ 5 × 7 = (5 × 3) + (5 × ☐) =

⑫ 7 × 9 = (7 × 4) + (7 × ☐) =

한 자리 곱셈

❓ □에 알맞은 수를 써넣고 계산해 보세요.

① $5 \times 6 = (5 \times \boxed{}) + \boxed{} + \boxed{} + \boxed{} =$

② $2 \times 5 = (2 \times 3) + (2 \times \boxed{}) =$

③ $4 \times 2 = (4 \times 1) + (4 \times \boxed{}) =$

④ $7 \times 9 = (7 \times 6) + (7 \times \boxed{}) =$

⑤ $8 \times 8 = (8 \times \boxed{}) + \boxed{} + \boxed{} =$

⑥ $6 \times 3 = (6 \times \boxed{}) + 6 + 6 =$

⑦ $2 \times 4 = (2 \times 2) + (2 \times \boxed{}) =$

⑧ $4 \times 6 = (4 \times 4) + (4 \times \boxed{}) =$

⑨ $8 \times 9 = (8 \times \boxed{}) + 8 =$

⑩ $6 \times 7 = (6 \times \boxed{}) + \boxed{} =$

⑪ $9 \times 5 = (9 \times 3) + (9 \times \boxed{}) =$

⑫ $8 \times 7 = (8 \times 6) + (8 \times \boxed{}) =$

5주차
곱하기 5를 이용한 곱셈

5씩 뛰어 세고, 묶어 세는 것은 비교적 아이들이 쉬워하는 내용입니다. 5씩 뛰어 세고, 묶어 세기를 연습한 후, 다른 수의 곱셈을 5의 곱셈을 이용하여 계산하는 것을 공부하고, 유사한 방법으로 9의 곱셈을 10의 곱셈과 뺄셈을 이용하여 계산하는 원리를 공부합니다.

시계의 긴바늘

❓ 시계의 긴바늘은 숫자 1마다 5분을 나타냅니다. 시계의 긴바늘이 몇 분을 나타내는지 곱셈 식을 써 보세요.

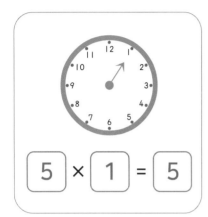

$$\boxed{5} \times \boxed{1} = \boxed{5}$$

①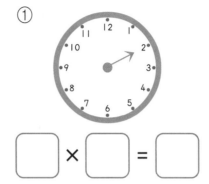

$$\boxed{} \times \boxed{} = \boxed{}$$

②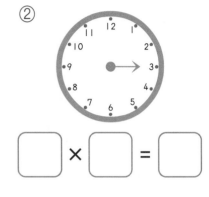

$$\boxed{} \times \boxed{} = \boxed{}$$

③

$$\boxed{} \times \boxed{} = \boxed{}$$

④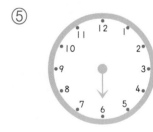

$$\boxed{} \times \boxed{} = \boxed{}$$

⑤

$$\boxed{} \times \boxed{} = \boxed{}$$

⑥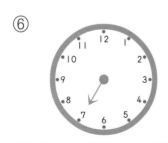

$$\boxed{} \times \boxed{} = \boxed{}$$

⑦

$$\boxed{} \times \boxed{} = \boxed{}$$

⑧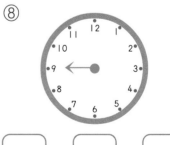

$$\boxed{} \times \boxed{} = \boxed{}$$

5씩 뛰어 세기를 해 보세요.

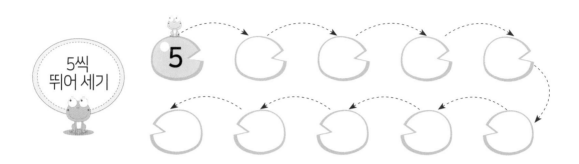

□에 알맞은 수를 써넣으세요.

① 5의 1배 [　　]

② 5의 2배 [　　]

③ 5의 3배 [　　]

④ 5의 4배 [　　]

⑤ 5의 5배 [　　]

⑥ 5의 6배 [　　]

⑦ 5의 7배 [　　]

⑧ 5의 8배 [　　]

⑨ 5의 9배 [　　]

⑩ 5의 10배 [　　]

☞ □에 알맞은 수를 써넣으세요.

①

5의 2배 ➡ ☐   5의 4배 ➡ ☐

5의 6배 ➡ ☐   5의 8배 ➡ ☐

☞ □에 알맞은 수를 써넣으세요.

5는 5의 **1** 배

① 20은 5의 ☐ 배

② 45는 5의 ☐ 배

③ 50은 5의 ☐ 배

④ 15는 5의 ☐ 배

⑤ 35는 5의 ☐ 배

⑥ 10은 5의 ☐ 배

⑦ 25는 5의 ☐ 배

⑧ 30은 5의 ☐ 배

⑨ 40은 5의 ☐ 배

5 곱하기

계산해 보세요.

① $5 + 5 =$

② $(5+5) + (5+5) =$

③ $(5+5) + (5+5) + 5 =$

④ $(5+5) + 5 =$

⑤ $(5+5) + (5+5) + (5+5) + 5 =$

⑥ $(5+5) + (5+5) + (5+5) + (5+5) + 5 =$

⑦ $(5+5) + (5+5) + (5+5) + (5+5) =$

⑧ $(5+5) + (5+5) + (5+5) =$

⑨ $(5+5) + (5+5) + (5+5) + (5+5) + (5+5) =$

🎵 계산해 보세요.

① 5 × 4 =

② 5 × 7 =

③ 5 × 1 =

④ 5 × 3 =

⑤ 5 × 10 =

⑥ 5 × 2 =

⑦ 5 × 7 =

⑧ 5 × 9 =

⑨ 5 × 8 =

⑩ 5 × 4 =

⑪ 5 × 5 =

⑫ 5 × 3 =

⑬ 5 × 2 =

⑭ 5 × 9 =

⑮ 5 × 10 =

⑯ 5 × 8 =

3일   곱하기 5를 이용한 곱셈1

□에 알맞은 수를 써넣으세요.

①

$3 \times 7 = (3 \times 5) + \quad + $

$3 \times 7 = $

②

$7 \times 6 = (7 \times 5) + $

$7 \times 6 = $

③

$2 \times 8 = (2 \times 5) + \quad + \quad + $

$2 \times 8 = $

④

$4 \times 6 = (4 \times 5) + $

$4 \times 6 = $

⑤

$8 \times 8 = (8 \times 5) + \quad + \quad + $

$8 \times 8 = $

①
$6 \times 6 = (6 \times 5) + \boxed{}$

$6 \times 6 = \boxed{}$

②
$4 \times 7 = (4 \times 5) + \boxed{} + \boxed{}$

$4 \times 7 = \boxed{}$

③
$2 \times 6 = (2 \times 5) + \boxed{}$

$2 \times 6 = \boxed{}$

④
$3 \times 8 = (3 \times 5) + \boxed{} + \boxed{} + \boxed{}$

$3 \times 8 = \boxed{}$

⑤
$7 \times 7 = (7 \times 5) + \boxed{} + \boxed{}$

$7 \times 7 = \boxed{}$

계산해 보세요.

① 6 × 7 =

② 3 × 6 =

③ 2 × 8 =

④ 7 × 8 =

⑤ 4 × 6 =

⑥ 6 × 6 =

⑦ 3 × 8 =

⑧ 8 × 6 =

⑨ 8 × 8 =

⑩ 3 × 7 =

⑪ 4 × 8 =

⑫ 2 × 6 =

⑬ 7 × 7 =

⑭ 4 × 7 =

⑮ 2 × 7 =

⑯ 7 × 6 =

곱하기 5를 이용한 곱셈 2

🐣 □에 알맞은 수를 써넣으세요.

① 7×8

$= 8 \times 7 = (8 \times 5) +$ ⬜ $+$ ⬜

$7 \times 8 =$ ⬜

② 6×8

$= 8 \times 6 = (8 \times 5) +$ ⬜

$6 \times 8 =$ ⬜

③ 7×2

$= 2 \times 7 = (2 \times 5) +$ ⬜ $+$ ⬜

$7 \times 2 =$ ⬜

④ 6×9

$= 9 \times 6 = (9 \times 5) +$ ⬜

$6 \times 9 =$ ⬜

⑤ 7×6

$= 6 \times 7 = (6 \times 5) +$ ⬜ $+$ ⬜

$7 \times 6 =$ ⬜

⑥ 6×3

$= 3 \times 6 = (3 \times 5) +$ ⬜

$6 \times 3 =$ ⬜

빈 곳에 알맞은 수를 써넣으세요.

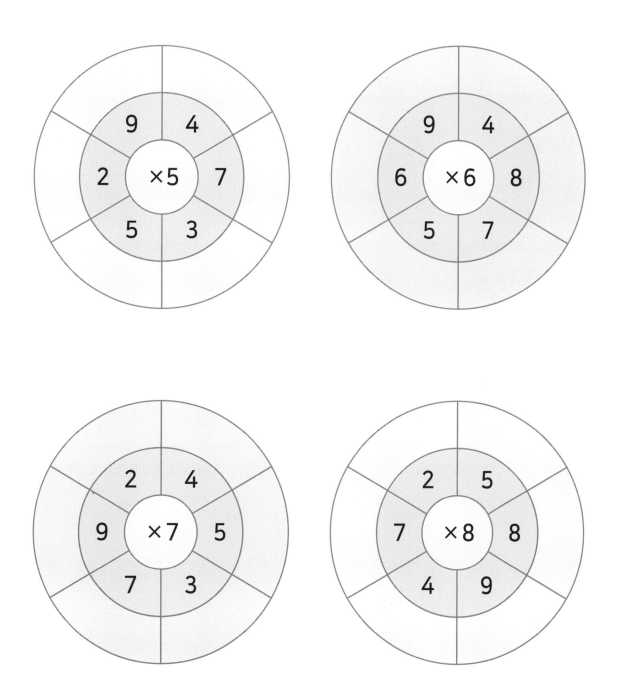

공부한 날!
월   일

□에 알맞은 수를 써넣으세요.

① 7 × 10 =

② 2 × 10 =

③ 6 × 10 =

④ 4 × 10 =

⑤ 8 × 10 =

⑥ 5 × 10 =

⑦ 3 × 10 =

⑧ 9 × 10 =

⑨ 4 × 9 = (4 × 10) −

⑩ 7 × 9 = (7 × 10) −

⑪ 9 × 9 = (9 × 10) −

⑫ 3 × 9 = (3 × 10) −

⑬ 5 × 9 = (5 × 10) −

⑭ 6 × 9 = (6 × 10) −

⑮ 2 × 9 = (2 × 10) −

⑯ 8 × 9 = (8 × 10) −

☝️ □에 알맞은 수를 써넣으세요.

$2 \times 9 = (2 \times 10) -$ 2

$2 \times 9 =$ 20 $-$ 2

$2 \times 9 =$ 18

① $7 \times 9 = (7 \times 10) - \boxed{}$

$7 \times 9 = \boxed{} - \boxed{}$

$7 \times 9 = \boxed{}$

② $8 \times 9 = (8 \times 10) - \boxed{}$

$8 \times 9 = \boxed{} - \boxed{}$

$8 \times 9 = \boxed{}$

③ $6 \times 8 = (6 \times 10) - \boxed{} - \boxed{}$

$6 \times 8 = \boxed{} - \boxed{}$

$6 \times 8 = \boxed{}$

④ $3 \times 9 = (3 \times 10) - \boxed{}$

$3 \times 9 = \boxed{} - \boxed{}$

$3 \times 9 = \boxed{}$

⑤ $5 \times 8 = (5 \times 10) - \boxed{} - \boxed{}$

$5 \times 8 = \boxed{} - \boxed{}$

$5 \times 8 = \boxed{}$

계산해 보세요.

① 2 × 9 =

② 2 × 8 =

③ 3 × 8 =

④ 3 × 9 =

⑤ 4 × 9 =

⑥ 4 × 8 =

⑦ 9 × 9 =

⑧ 8 × 9 =

⑨ 7 × 9 =

⑩ 7 × 8 =

⑪ 6 × 9 =

⑫ 6 × 8 =

⑬ 5 × 9 =

⑭ 5 × 8 =

• **6**주차 •

도전! 계산왕

한 자리 곱셈

🎵 시계의 긴바늘이 몇 분을 나타내는지 곱셈식을 써 보세요.

①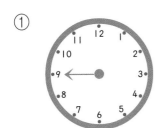

☐ × ☐ = ☐

②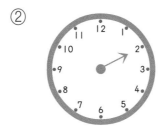

☐ × ☐ = ☐

③

☐ × ☐ = ☐

④

☐ × ☐ = ☐

⑤

☐ × ☐ = ☐

⑥

☐ × ☐ = ☐

⑦

☐ × ☐ = ☐

⑧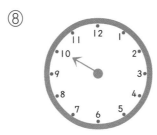

☐ × ☐ = ☐

⑨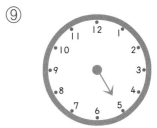

☐ × ☐ = ☐

1일❷

한 자리 곱셈

계산해 보세요.

①

×	1	2	3	4	5	6	7	8	9
4									

②

×	1	2	3	4	5	6	7	8	9
7									

③ $4 \times 5 =$

④ $3 \times 7 =$

⑤ $7 \times 5 =$

⑥ $4 \times 4 =$

⑦ $3 \times 6 =$

⑧ $7 \times 3 =$

⑨ $2 \times 9 =$

⑩ $4 \times 9 =$

⑪ $7 \times 2 =$

⑫ $7 \times 8 =$

⑬ $9 \times 5 =$

⑭ $2 \times 5 =$

⑮ $2 \times 6 =$

⑯ $9 \times 3 =$

⑰ $9 \times 2 =$

2일 ❶

한 자리 곱셈

🎵 시계의 긴바늘이 몇 분을 나타내는지 곱셈식을 써 보세요.

①

$\boxed{} \times \boxed{} = \boxed{}$

②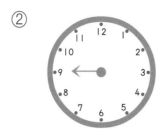

$\boxed{} \times \boxed{} = \boxed{}$

③

$\boxed{} \times \boxed{} = \boxed{}$

④

$\boxed{} \times \boxed{} = \boxed{}$

⑤

$\boxed{} \times \boxed{} = \boxed{}$

⑥

$\boxed{} \times \boxed{} = \boxed{}$

⑦

$\boxed{} \times \boxed{} = \boxed{}$

⑧

$\boxed{} \times \boxed{} = \boxed{}$

⑨

$\boxed{} \times \boxed{} = \boxed{}$

한 자리 곱셈

계산해 보세요.

①

×	1	2	3	4	5	6	7	8	9
3									

②

×	1	2	3	4	5	6	7	8	9
6									

③ $8 \times 4 =$

④ $2 \times 8 =$

⑤ $9 \times 6 =$

⑥ $2 \times 3 =$

⑦ $4 \times 9 =$

⑧ $8 \times 5 =$

⑨ $2 \times 5 =$

⑩ $4 \times 3 =$

⑪ $4 \times 8 =$

⑫ $8 \times 7 =$

⑬ $8 \times 3 =$

⑭ $2 \times 4 =$

⑮ $7 \times 2 =$

⑯ $7 \times 7 =$

⑰ $7 \times 4 =$

한 자리 곱셈

시계의 긴바늘이 몇 분을 나타내는지 곱셈식을 써 보세요.

①

$$\boxed{} \times \boxed{} = \boxed{}$$

②

$$\boxed{} \times \boxed{} = \boxed{}$$

③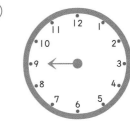

$$\boxed{} \times \boxed{} = \boxed{}$$

④

$$\boxed{} \times \boxed{} = \boxed{}$$

⑤

$$\boxed{} \times \boxed{} = \boxed{}$$

⑥

$$\boxed{} \times \boxed{} = \boxed{}$$

⑦

$$\boxed{} \times \boxed{} = \boxed{}$$

⑧

$$\boxed{} \times \boxed{} = \boxed{}$$

⑨

$$\boxed{} \times \boxed{} = \boxed{}$$

한 자리 곱셈

🔍 계산해 보세요.

①

×	1	2	3	4	5	6	7	8	9
7									

②

×	1	2	3	4	5	6	7	8	9
8									

③ $9 \times 2 =$

④ $2 \times 7 =$

⑤ $3 \times 8 =$

⑥ $7 \times 5 =$

⑦ $4 \times 5 =$

⑧ $3 \times 6 =$

⑨ $3 \times 5 =$

⑩ $7 \times 2 =$

⑪ $7 \times 4 =$

⑫ $6 \times 7 =$

⑬ $9 \times 8 =$

⑭ $5 \times 9 =$

⑮ $7 \times 9 =$

⑯ $2 \times 8 =$

⑰ $8 \times 9 =$

한 자리 곱셈

🐛 시계의 긴바늘이 몇 분을 나타내는지 곱셈식을 써 보세요.

①

$\boxed{} \times \boxed{} = \boxed{}$

②

$\boxed{} \times \boxed{} = \boxed{}$

③

$\boxed{} \times \boxed{} = \boxed{}$

④

$\boxed{} \times \boxed{} = \boxed{}$

⑤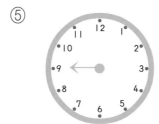

$\boxed{} \times \boxed{} = \boxed{}$

⑥

$\boxed{} \times \boxed{} = \boxed{}$

⑦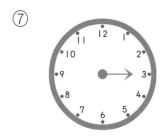

$\boxed{} \times \boxed{} = \boxed{}$

⑧

$\boxed{} \times \boxed{} = \boxed{}$

⑨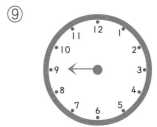

$\boxed{} \times \boxed{} = \boxed{}$

한 자리 곱셈

계산해 보세요.

①

×	1	2	3	4	5	6	7	8	9
9									

②

×	1	2	3	4	5	6	7	8	9
5									

③ $9 \times 3 =$

④ $4 \times 9 =$

⑤ $9 \times 5 =$

⑥ $4 \times 2 =$

⑦ $2 \times 6 =$

⑧ $2 \times 2 =$

⑨ $7 \times 5 =$

⑩ $4 \times 7 =$

⑪ $9 \times 7 =$

⑫ $4 \times 6 =$

⑬ $4 \times 8 =$

⑭ $6 \times 3 =$

⑮ $9 \times 2 =$

⑯ $6 \times 4 =$

⑰ $8 \times 6 =$

5일 ① 한 자리 곱셈

시계의 긴바늘이 몇 분을 나타내는지 곱셈식을 써 보세요.

①

$\boxed{} \times \boxed{} = \boxed{}$

②

$\boxed{} \times \boxed{} = \boxed{}$

③

$\boxed{} \times \boxed{} = \boxed{}$

④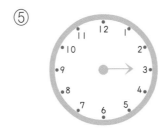

$\boxed{} \times \boxed{} = \boxed{}$

⑤

$\boxed{} \times \boxed{} = \boxed{}$

⑥

$\boxed{} \times \boxed{} = \boxed{}$

⑦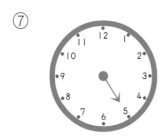

$\boxed{} \times \boxed{} = \boxed{}$

⑧

$\boxed{} \times \boxed{} = \boxed{}$

⑨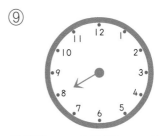

$\boxed{} \times \boxed{} = \boxed{}$

5일❷

한 자리 곱셈

계산해 보세요.

①

×	1	2	3	4	5	6	7	8	9
8									

②

×	1	2	3	4	5	6	7	8	9
2									

③ 8 × 2 =

④ 4 × 9 =

⑤ 9 × 2 =

⑥ 9 × 9 =

⑦ 9 × 6 =

⑧ 6 × 4 =

⑨ 4 × 2 =

⑩ 2 × 6 =

⑪ 9 × 5 =

⑫ 2 × 4 =

⑬ 7 × 9 =

⑭ 7 × 8 =

⑮ 6 × 8 =

⑯ 4 × 7 =

⑰ 9 × 8 =

11 더하는 수의 개수가 적도록 덧셈식을 만들어 곱셈식을 계산하세요.

2 × 9
= 9 × 2
= [ ] × [ ] + [ ]
=

12 계산해 보세요.

① 4 × 3 =　　② 3 × 6 =

③ 6 × 9 =　　④ 8 × 7 =

13 계산해 보세요.

① 7 × 4 =　　② 5 × 8 =

③ 9 × 5 =　　④ 4 × 9 =

14 재원이는 공을 매일 8개씩 먹습니다. 재원이가 6일 동안 먹은 공은 모두 몇 개일까요?

식 :

답 : _____ 개

15 빈칸에 알맞은 수를 써넣으세요.

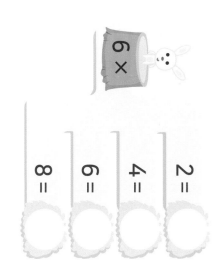

2 =

4 =

6 =

8 =

16 5씩 뛰어 세기를 해 보세요.

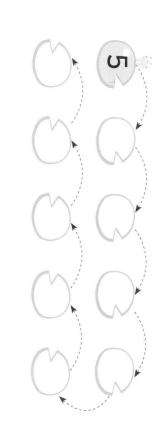

17 그림을 보고 빈칸에 알맞은 수를 써넣으세요.

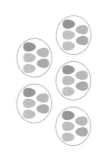

[ ] 의 [ ] 배

18 계산해 보세요.

① 5 × 2 =　　② 8 × 5 =

③ 5 × 5 =　　④ 5 × 10 =

19 빈칸에 알맞은 수를 써넣으세요.

① 4 × 7 = (4 × 5) + [ ] + [ ]

② 9 × 8 = (9 × 10) − [ ] − [ ]

③ 6 × 8 = 8 × 6 = (8 × 5) + [ ]

20 계산해 보세요.

① 3 × 9 =　　② 2 × 8 =

③ 7 × 8 =　　④ 6 × 9 =

초등 원리셈 2학년

4권 곱셈

총괄 테스트

01 몇씩 몇 묶음인지 두 가지 방법으로 빈칸을 채우고 모두 몇 개인지 쓰세요.

씩 [ ] 묶음

씩 [ ] 묶음

[ ] 개

02 빈칸에 알맞은 수를 써넣으세요.

노란색 풍선은 파란색 풍선의 [ ]배입니다.

03 빈칸에 알맞은 수를 써넣으세요.

[ ] + [ ] + [ ] = [ ]

6의 [ ]배

04 몇의 몇 배를 뛰어 세어서 구해 보세요.

7의 7배

7 — [ ] — [ ] — [ ] — [ ] — [ ] — [ ]

05 그림을 보고 빈칸에 알맞은 수를 써넣으세요.

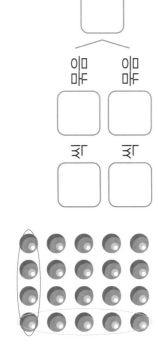

[ ]의 [ ]배

06 사탕의 개수를 곱셈식으로 나타내어 보세요.

[ ] × [ ]

07 곱셈식을 덧셈식으로 바꾸려고 합니다. 빈칸에 알맞은 수를 써넣으세요.

$2 × 5 = $ [ ] + [ ] + [ ] + [ ] + [ ] = [ ]

08 그림을 보고 빈칸에 알맞은 수를 써넣으세요.

[ ] × [ ] =

[ ] × [ ] =

09 곱셈식을 두 개의 곱셈식으로 갈라서 나타내어 보세요.

8 × 7

8 × 4   8 × [ ]

10 빈칸에 알맞은 수를 써넣으세요.

① $4 × 8 = (4 × 3) + (4 × $ [ ] $)$

② $9 × 6 = (9 × $ [ ] $) + 9 + 9 + 9$

1000math.com

홈페이지

· 천종현수학연구소 소개 및 학습 자료 공유
· 출판 교재, 연구소 굿즈 구입

 cafe.naver.com/maths1000

네이버카페

· 다양한 이벤트 및 '천쌤수학학습단' 진행
· 학습 상담 게시판 운영

 https://www.instagram.com/ 1000maths

인스타그램

· 수학고민상담소 '천쌤에게 물어보셈' 릴스 보기
· 가장 빠르게 만나는 연구소 소식 및 이벤트

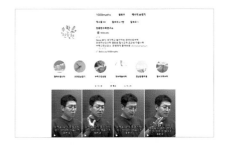

 https://www.youtube.com/ @1000math4U

유튜브

· 인스타 라이브방송 '천쌤에게 물어보셈' 다시 보기
· 고민 상담 사례 및 수학교육 기획 콘텐츠

천종현수학연구소는
유아 초등 수학 교재와 **콘텐츠**를 꾸준히 **개발**하고 있습니다. 네이버에 '**천종현수학연구소**'를 검색하시거나
인스타그램, 유튜브 등 다양한 채널을 통해서도 **연산**과 **사고력 수학**, 교과 심화 학습에 대한 **노하우**와 **정보**를
다양하게 제공합니다. 지금 바로 만나보세요.

SINCE 2014

천종현수학연구소 출판 교재

01

유아 자신감 수학

썼다 지웠다 붙였다 뗐다
우리 아이의 첫 수학 교재

02

TOP 사고력 수학

실력도 탑! 재미도 탑!
사고력 수학의 으뜸

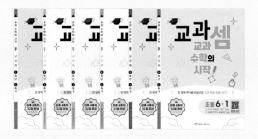

03

교과셈

사칙연산+도형, 측정, 경우의 수까지
반복 학습이 필요한 초등 연산 완성

04

따풀 수학

다양한 개념과 해결 방법을 배우는
배움이 있는 학습지

05

초등 사고력 수학의 원리/전략

진정한 수학 실력은 원리의 이해와 문제 해결 전략에서
재미있게 읽는 17년 초등 사고력 수학의 노하우!!

초등 | 수학 전문가가
만든 연산 교재

원리셈

천종현 지음

정답

2학년 **4**

곱셈

천종현수학연구소

10쪽

1	2	3	4	5	6	7	8	9	10
11	12	13	14	15	16	17	18	19	20

1	2	3	4	5	6	7	8	9	10
11	12	13	14	15	16	17	18	19	20
21	22	23	24	25	26	27	28	29	30

1	2	3	4	5	6	7	8	9	10
11	12	13	14	15	16	17	18	19	20
21	22	23	24	25	26	27	28	29	30
31	32	33	34	35	36	37	38	39	40

1	2	3	4	5	6	7	8	9	10
11	12	13	14	15	16	17	18	19	20
21	22	23	24	25	26	27	28	29	30
31	32	33	34	35	36	37	38	39	40
41	42	43	44	45	46	47	48	49	50

11쪽

1	2	3	4	5	6	7	8	9	10
11	12	13	14	15	16	17	18	19	20
21	22	23	24	25	26	27	28	29	30
31	32	33	34	35	36	37	38	39	40
41	42	43	44	45	46	47	48	49	50
51	52	53	54	55	56	57	58	59	60

1	2	3	4	5	6	7	8	9	10
11	12	13	14	15	16	17	18	19	20
21	22	23	24	25	26	27	28	29	30
31	32	33	34	35	36	37	38	39	40
41	42	43	44	45	46	47	48	49	50
51	52	53	54	55	56	57	58	59	60
61	62	63	64	65	66	67	68	69	70

12쪽

1	2	3	4	5	6	7	8	9	10
11	12	13	14	15	16	17	18	19	20
21	22	23	24	25	26	27	28	29	30
31	32	33	34	35	36	37	38	39	40
41	42	43	44	45	46	47	48	49	50
51	52	53	54	55	56	57	58	59	60
61	62	63	64	65	66	67	68	69	70
71	72	73	74	75	76	77	78	79	80

1	2	3	4	5	6	7	8	9	10
11	12	13	14	15	16	17	18	19	20
21	22	23	24	25	26	27	28	29	30
31	32	33	34	35	36	37	38	39	40
41	42	43	44	45	46	47	48	49	50
51	52	53	54	55	56	57	58	59	60
61	62	63	64	65	66	67	68	69	70
71	72	73	74	75	76	77	78	79	80
81	82	83	84	85	86	87	88	89	90

13쪽

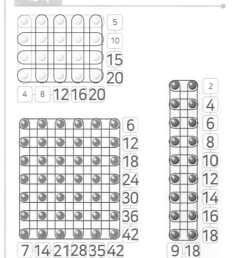

5
10
15
20

4 | 8 | 12 | 16 | 20

6
12
18
24
30
36
42

7 | 14 | 21 | 28 | 35 | 42

2
4
6
8
10
12
14
16
18

9 | 18

14쪽

① 5, 3 / 3, 5 → 15

② 8, 2 / 2, 8 → 16

③ 7, 4 / 4, 7 → 28

④ 8, 6 / 6, 8 → 48

15쪽

① 4, 5 → 20

② 5, 6 → 30

③ 9, 4 → 36

④ 7, 2 → 14

⑤ 3, 8 → 24

⑥ 4, 6 → 24

⑦ 6, 3 → 18

⑧ 5, 9 → 45

16쪽

① 4

② 6

③ 9

④ 7

⑤ 2

17쪽

① 4 → 3, 3, 3, 3, 12

② 6 → 4, 4, 4, 4, 4, 4, 24

③ 9 → 2, 2, 2, 2, 2, 2, 2, 2, 2, 18

④ 5 → 5, 5, 5, 5, 5, 25

⑤ 4 → 6, 6, 6, 6, 24

18쪽

① 3, 5 → 15

② 6, 3 → 18

③ 8, 5 → 40

④ 2, 8 → 16

⑤ 4, 5 → 20

⑥ 5, 6 → 30

19쪽

① 4, 8, 12, 16, 20, 24, 28, 32, 36
9 → 36

② 3, 6, 9, 12, 15, 18, 21, 24
8 → 24

③ 5, 10, 15, 20, 25, 30, 35, 40
8 → 40

④ 6, 12, 18, 24, 30, 36, 42
7 → 42

20쪽

① 7, 14, 21, 28, 35
5 → 35

② 9, 18, 27, 36
4 → 36

③ 2, 4, 6, 8, 10, 12, 14, 16, 18, 20
10 → 20

④ 8, 16, 24, 32
4 → 32

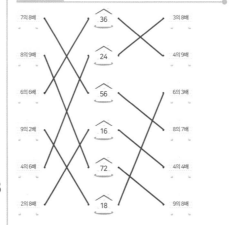
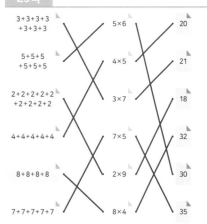

① 3

② 2

③ 3

④ 4

① 2 ② 3

③ 2 ④ 2

⑤ 3 ⑥ 2

⑦ 4 ⑧ 4

① 3

② 3

③ 4, 3

④ 2, 3

⑤ 4, 5

① 4

② 2, 2, 2

③ 5

④ 4

① 5 ② 8

③ 5 ④ 7, 7

⑤ 8 ⑥ 6

⑦ 5 ⑧ 4, 9, 9, 9

① 2, 2

② 4

③ 3, 3

④ 6

⑤ 8

① ③ 5 2 1

② ④ 7 1 3

③ 2 4 ⑤ 6

④ 2 1 4 ③

⑤ 2 1 4 ⑤

⑥ 6 3 ④ 2

① 2 6 ④ 3

② 3 1 2 ④

③ 1 4 3 ②

④ 1 ③ 2 4

⑤ ② 4 3 1

⑥ 3 ④ 1 2

① 2 ④ 3 1

② ⑤ 4 2 3

③ 5 3 4 ⑥

④ 4 ⑤ 3 2

⑤ 6 ⑦ 3 5

⑥ 1 4 ③ 2

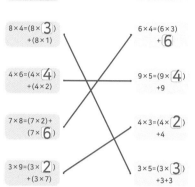

3주차 - 같은 수의 덧셈을 이용한 곱셈

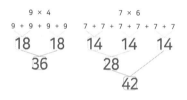

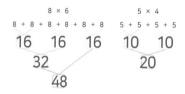

① 7, 7, 7, 7
14, 14
28

② 8, 8, 8, 8 ③ 4, 4, 4, 4
16, 16   8, 8
32   16

④ 3, 3, 3, 3 ⑤ 9, 9, 9, 9
6, 6   18, 18
12   36

① 9, 9, 9, 9
　18, 18
　36
　45

② 6, 6, 6, 6
　12, 12
　24
　30

③ 7, 7, 7, 7, 7, 7, 7, 7
　14, 14, 14, 14
　28, 28
　56

3×7　3×8　3×6
$= 7 \times 3$　$= 8 \times 3$　$= 6 \times 3$
$7 + 7 + 7$　$8 + 8 + 8$　$6 + 6 + 6$
　14　　　16　　　12
　21　　　24　　　18

6×9
$= 9 \times 6$
$9 + 9 + 9 + 9 + 9 + 9$
　18　　18　　18
　　　36
　　　54

4×6
$= 6 \times 4$
$6 + 6 + 6 + 6$
　12　　12
　　24

4×9　　　　3×9
$= 9 \times 4$　　　$= 9 \times 3$
$(9+9)+(9+9)$　$(9+9)+9$
$=18+18$　　　$=18+9$
$=36$　　　　　$=27$

6×8
$= 8 \times 6$
$(8+8)+(8+8)+(8+8)$
$=16+16+16$
$=32+16$
$=48$

8×9
$= 9 \times 8$
$(9+9)+(9+9)+(9+9)+(9+9)$
$=18+18+18+18$
$=36+36$
$=72$

6×7
$= 7 \times 6$
$(7+7)+(7+7)+(7+7)$
$=14+14+14$
$=28+14$
$=42$

① 12　② 18
③ 64　④ 35
⑤ 30　⑥ 54
⑦ 24　⑧ 32
⑨ 12　⑩ 21
⑪ 36　⑫ 40
⑬ 27　⑭ 48
⑮ 28　⑯ 30

① 6　　② 10
　12　　　20
　18　　　30
　24　　　40

③ 18　④ 14
　36　　　28
　54　　　42
　72　　　56

⑤ 16　⑥ 8
　32　　　16
　48　　　24
　64　　　32

① 3, 7, 21
② 4, 6, 24
③ 5, 4, 20
④ 6, 5, 30

① 4, 8, 32
② 3, 8, 24
③ 2, 8, 16

① 5, 5, 25
② 2, 6, 12

① 4×9=36, 36

① 5×7=35, 35
② 5×4=20, 20

① 5×5=25, 25
② 8×3=24, 24
③ 4×4=16, 16

① 8×7=56, 56
② 8×9=72, 72
③ 8×3=24, 24

60쪽

① 3, 3, 3, 18
② 2, 30
③ 1, 15
④ 2, 28
⑤ 8, 40
⑥ 6, 24
⑦ 7, 36
⑧ 3, 14
⑨ 8, 81
⑩ 8, 8, 24
⑪ 1, 14
⑫ 2, 20

61쪽

① 2, 2, 2, 2, 10
② 1, 12
③ 2, 28
④ 3, 56
⑤ 6, 9, 9, 72
⑥ 4, 24
⑦ 1, 10
⑧ 2, 12
⑨ 7, 48
⑩ 3, 7, 7, 7, 42
⑪ 7, 81
⑫ 2, 16

62쪽

① 4, 4, 4, 24
② 3, 30
③ 1, 18
④ 6, 72
⑤ 6, 2, 2, 16
⑥ 1, 15
⑦ 1, 28
⑧ 3, 18
⑨ 4, 30
⑩ 2, 8, 8, 8, 40
⑪ 2, 72
⑫ 7, 27

63쪽

① 1, 8, 16
② 4, 20
③ 3, 30
④ 1, 14
⑤ 5, 4, 4, 28
⑥ 7, 81
⑦ 1, 8
⑧ 1, 6
⑨ 5, 18
⑩ 2, 9, 9, 9, 45
⑪ 4, 56
⑫ 5, 35

64쪽

① 1, 2, 2, 6
② 3, 30
③ 2, 30
④ 3, 21
⑤ 6, 7, 7, 56
⑥ 4, 54
⑦ 2, 16
⑧ 1, 4
⑨ 8, 54
⑩ 5, 5, 5, 5, 40
⑪ 3, 56
⑫ 2, 28

65쪽

① 7, 7, 56
② 2, 16
③ 1, 25
④ 3, 14
⑤ 2, 3, 3, 12
⑥ 7, 54
⑦ 1, 18
⑧ 2, 64
⑨ 2, 15
⑩ 8, 7, 63
⑪ 4, 63
⑫ 3, 40

66쪽

① 1, 6, 12
② 3, 30
③ 4, 14
④ 4, 72
⑤ 4, 8, 8, 8, 56
⑥ 5, 21
⑦ 1, 12
⑧ 7, 54
⑨ 7, 40
⑩ 7, 2, 2, 18
⑪ 1, 16
⑫ 2, 36

67쪽

① 5, 6, 6, 6, 48
② 2, 28
③ 4, 25
④ 3, 49
⑤ 2, 8, 8, 32
⑥ 8, 18
⑦ 1, 8
⑧ 3, 18
⑨ 6, 63
⑩ 2, 2, 2, 2, 10
⑪ 1, 54
⑫ 3, 72

68쪽

① 1, 9, 18
② 3, 30
③ 4, 48
④ 1, 6
⑤ 5, 3, 3, 21
⑥ 7, 45
⑦ 2, 28
⑧ 1, 8
⑨ 6, 64
⑩ 4, 7, 7, 42
⑪ 4, 35
⑫ 5, 63

69쪽

① 3, 5, 5, 5, 30
② 2, 10
③ 1, 8
④ 3, 63
⑤ 6, 8, 8, 64
⑥ 1, 18
⑦ 2, 8
⑧ 2, 24
⑨ 8, 72
⑩ 6, 6, 42
⑪ 2, 45
⑫ 1, 56

72쪽

① 5, 2, 10 ② 5, 3, 15
③ 5, 4, 20 ④ 5, 5, 25 ⑤ 5, 6, 30
⑥ 5, 7, 35 ⑦ 5, 8, 40 ⑧ 5, 9, 45

73쪽

5 10 15 20 25
50 45 40 35 30

① 5   ② 10
③ 15   ④ 20
⑤ 25   ⑥ 30
⑦ 35   ⑧ 40
⑨ 45   ⑩ 50

74쪽

① 10 20
  30 40

    ① 4
② 9   ③ 10
④ 3   ⑤ 7
⑥ 2   ⑦ 5
⑧ 6   ⑨ 8

75쪽

① 10   ② 20
③ 25   ④ 15
⑤ 35
⑥ 45
⑦ 40
⑧ 30
⑨ 50

76쪽

① 20 ② 35
③ 5 ④ 15
⑤ 50 ⑥ 10
⑦ 35 ⑧ 45
⑨ 40 ⑩ 20
⑪ 25 ⑫ 15
⑬ 10 ⑭ 45
⑮ 50 ⑯ 40

77쪽

① 3, 3
   21
② 7
   42
③ 2, 2, 2
   16
④ 4
   24
⑤ 8, 8, 8
   64

78쪽

① 6
   36
② 4, 4
   28
③ 2
   12
④ 3, 3, 3
   24
⑤ 7, 7
   49

79쪽

① 42 ② 18
③ 16 ④ 56
⑤ 24 ⑥ 36
⑦ 24 ⑧ 48
⑨ 64 ⑩ 21
⑪ 32 ⑫ 12
⑬ 49 ⑭ 28
⑮ 14 ⑯ 42

80쪽

① 8, 8 ② 8
   56   48
③ 2, 2 ④ 9
   14   54
⑤ 6, 6 ⑥ 3
   42   18

81쪽

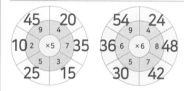

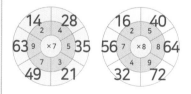

82쪽

① 70 ② 20
③ 60 ④ 40
⑤ 80 ⑥ 50
⑦ 30 ⑧ 90
⑨ 4 ⑩ 7
⑪ 9 ⑫ 3
⑬ 5 ⑭ 6
⑮ 2 ⑯ 8

83쪽

① 7
   70, 7
   63
② 8 ③ 6, 6
   80, 8   60, 12
   72   48
④ 3 ⑤ 5, 5
   30, 3   50, 10
   27   40

84쪽

① 18 ② 16
③ 24 ④ 27
⑤ 36 ⑥ 32
⑦ 81 ⑧ 72
⑨ 63 ⑩ 56
⑪ 54 ⑫ 48
⑬ 45 ⑭ 40

86쪽

① 5, 9, 45 ② 5, 2, 10 ③ 5, 3, 15
④ 5, 6, 30 ⑤ 5, 8, 40 ⑥ 5, 1, 5
⑦ 5, 7, 35 ⑧ 5, 10, 50 ⑨ 5, 5, 25

87쪽

① 4, 8, 12, 16, 20, 24, 28, 32, 36
② 7, 14, 21, 28, 35, 42, 49, 56, 63
③ 20 ④ 21 ⑤ 35
⑥ 16 ⑦ 18 ⑧ 21
⑨ 18 ⑩ 36 ⑪ 14
⑫ 56 ⑬ 45 ⑭ 10
⑮ 12 ⑯ 27 ⑰ 18

88쪽

① 5, 1, 5 ② 5, 9, 45 ③ 5, 6, 30
④ 5, 7, 35 ⑤ 5, 8, 40 ⑥ 5, 2, 10
⑦ 5, 10, 50 ⑧ 5, 4, 20 ⑨ 5, 3, 15

89쪽

① 3, 6, 9, 12, 15, 18, 21, 24, 27
② 6, 12, 18, 24, 30, 36, 42, 48, 54
③ 32 ④ 16 ⑤ 54
⑥ 6 ⑦ 36 ⑧ 40
⑨ 10 ⑩ 12 ⑪ 32
⑫ 56 ⑬ 24 ⑭ 8
⑮ 14 ⑯ 49 ⑰ 28

90쪽

① 5, 2, 10 ② 5, 10, 50 ③ 5, 9, 45
④ 5, 6, 30 ⑤ 5, 3, 15 ⑥ 5, 8, 40
⑦ 5, 1, 5 ⑧ 5, 4, 20 ⑨ 5, 7, 35

91쪽

① 7, 14, 21, 28, 35, 42, 49, 56, 63
② 8, 16, 24, 32, 40, 48, 56, 64, 72
③ 18 ④ 14 ⑤ 24
⑥ 35 ⑦ 20 ⑧ 18
⑨ 15 ⑩ 14 ⑪ 28
⑫ 42 ⑬ 72 ⑭ 45
⑮ 63 ⑯ 16 ⑰ 72

92쪽

① 5, 6, 30 ② 5, 1, 5 ③ 5, 10, 50
④ 5, 8, 40 ⑤ 5, 9, 45 ⑥ 5, 2, 10
⑦ 5, 3, 15 ⑧ 5, 4, 20 ⑨ 5, 9, 45

93쪽

① 9, 18, 27, 36, 45, 54, 63, 72, 81
② 5, 10, 15, 20, 25, 30, 35, 40, 45
③ 27 ④ 36 ⑤ 45
⑥ 8 ⑦ 12 ⑧ 4
⑨ 35 ⑩ 28 ⑪ 63
⑫ 24 ⑬ 32 ⑭ 18
⑮ 18 ⑯ 24 ⑰ 48

94쪽

① 5, 2, 10 ② 5, 10, 50 ③ 5, 4, 20
④ 5, 7, 35 ⑤ 5, 3, 15 ⑥ 5, 6, 30
⑦ 5, 5, 25 ⑧ 5, 1, 5 ⑨ 5, 8, 40

95쪽

① 8, 16, 24, 32, 40, 48, 56, 64, 72
② 2, 4, 6, 8, 10, 12, 14, 16, 18
③ 16 ④ 36 ⑤ 18
⑥ 81 ⑦ 54 ⑧ 24
⑨ 8 ⑩ 12 ⑪ 45
⑫ 8 ⑬ 63 ⑭ 56
⑮ 48 ⑯ 28 ⑰ 72

초등 **원리셈** 2학년
4권 곱셈

총괄 테스트

점수

이름

01 몇씩 몇 묶음인지 두 가지 방법으로 빈칸을 채우고 모두 몇 개인지 쓰세요.

5 씩 4 묶음 > 20 개
4 씩 5 묶음

02 빈칸에 알맞은 수를 써넣으세요.

노란색 풍선은 파란색 풍선의 3 배입니다.

03 빈칸에 알맞은 수를 써넣으세요.

6의 3 배

$6 + 6 + 6 = 18$

04 몇의 몇 배를 뛰어 세어서 구해보세요.

7의 7배

7 14 21 28 35 42 49

05 그림을 보고 빈칸에 알맞은 수를 써넣으세요.

3 의 4 배

12

06 세트의 개수를 곱셈식으로 나타내어 보세요.

$6 × 5$

07 곱셈식을 덧셈식으로 바꾸려고 합니다. 빈칸에 알맞은 수를 써넣으세요.

$2 × 5 = 10$

$2 + 2 + 2 + 2 + 2 = 10$

08 그림을 보고 빈칸에 알맞은 수를 써넣으세요.

$3 × 7 = 21$
$7 × 3 = 21$

09 곱셈식을 두 개의 곱셈식으로 갈라서 나타내어 보세요.

$8 × 7$

$8 × 4$
$8 × 3$

10 빈칸에 알맞은 수를 써넣으세요.

① $4 × 8 = (4 × 3) + (4 × 5)$

② $9 × 6 = (9 × 3) + 9 + 9 + 9$

---

11 더하는 수의 개수가 적도록 덧셈식을 만들어 곱셈식을 계산하세요.

$2 × 9$
$= 9 × 2$
$= 9 + 9$
$= 18$

12 계산해 보세요.

① $4 × 3 = 12$ ② $3 × 6 = 18$
③ $6 × 9 = 54$ ④ $8 × 7 = 56$

13 계산해 보세요.

① $7 × 4 = 28$ ② $5 × 8 = 40$
③ $9 × 5 = 45$ ④ $4 × 9 = 36$

14 재현이는 공을 매일 8개씩 넣습니다. 재현이가 6일 동안 넣은 공은 모두 몇 개일까요?

식: $8 × 6 = 48$

답: 48 개

15 빈칸에 알맞은 수를 써넣으세요.

$6 ×$

2 = 12
4 = 24
6 = 36
8 = 48

16 5씩 뛰어 세기를 해보세요.

5 10 15 20 25
50 45 40 35 30

5 의 5 배   25

17 그림을 보고 빈칸에 알맞은 수를 써넣으세요.

18 계산해보세요.

① $5 × 2 = 10$ ② $8 × 5 = 40$
③ $5 × 5 = 25$ ④ $5 × 10 = 50$

19 빈칸에 알맞은 수를 써넣으세요.

① $4 × 7 = (4 × 5) + 4 + 4$

② $9 × 8 = (9 × 10) - 9 - 9$

③ $6 × 8 = 8 × 6 = (8 × 5) + 8$

20 계산해 보세요.

① $3 × 9 = 27$ ② $2 × 8 = 16$

③ $7 × 8 = 56$ ④ $6 × 9 = 54$

초등 | 수학 전문가가
만든 연산 교재
원리셈

원리
이해

다양한
계산 방법

충분한
연습

성취도
확인

○ **마술 같은 논리 수학** 매직

전 영역에 걸쳐 균형 있는 논리력, 문제해결력 기르기

○ **생각하고 발견하는 수학** 로지카

최고 수준 학습을 위한 사고력, 문제해결력 기르기

○ **문제해결력 향상을 위한 실전서**
문제해결사 PULL UP

학년별 실전 고난도 문제해결을 위한 브릿지 학습

천종현수학연구소의 학원 프로그램, 로지카 아카데미

"수학으로 세상을 다르게 보는 아이로!"
"생각하고 발견하는 수학, **로지카 아카데미**에서 시작하세요."

20년 차 수학교육전문가 천종현 소장과 함께 생각하는 힘을 기를 수 있는 곳, 로지카 아카데미입니다. 생각하고 발견하는 수학을 통해 아이들은 새로운 세상을 만나게 될 것입니다. 오늘부터 아이의 수학 여정을 로지카 아카데미와 함께하세요.

▶ ▷ ▷ ▷ **로지카 아카데미** www.logicaedu.kr

천종현수학연구소의 교재 흐름도

	4세	5세	6세	7세	초1
출판 교재					
유자수 · 탑사고력	만 3세	만 4세	만 5세	K단계	P단계
원리셈		5, 6세	6, 7세	7, 8세	초등 1
교과셈					초등 1
따풀				7세	초등 1
학원 교재					
매직 · 로지카			K단계	P단계	A단계
풀업				P단계	A단계